Dieu et le docteur Grübbel

roman

Catalogage avant publication de BAnQ et de BAC

Vivier, Mario, 1962-
    Dieu et le docteur Grübbel
    ISBN 978-2-89031-911-0   ISBN epub 978-2-89031-913-4
    I. Titre.

PS8643.I95D53 2014   C843'.6   C2013-942748-1
PS9643.I95D53 2014

Nous remercions le Conseil des arts du Canada ainsi que la Société de développement des entreprises culturelles du Québec de l'aide apportée à notre programme de publication. Nous reconnaissons également l'aide financière du gouvernement du Canada, par l'entremise du Fonds du livre du Canada, pour nos activités d'édition.
Gouvernement du Québec – Programme de crédit d'impôt pour l'édition de livres – Gestion SODEC.

Mise en pages : Julia Marinescu
Illustration de la couverture : Charles Allan Gilbert, *All Is Vanity*, 1892.
Maquette de la couverture : Raymond Martin

Distribution :
Canada
Dimedia
539, boul. Lebeau
Montréal (QC)
H4N 1S2
Tél. : 514 336-3941
Téléc. : 514 331-3916
general@dimedia.qc.ca

Europe francophone
D.N.M. (Distribution du Nouveau Monde)
30, rue Gay Lussac
F-75005 Paris
France
Tél. : 01 43 54 50 24
Téléc. : 01 43 54 39 15
www.librairieduquebec.fr

Dépôt légal : BAnQ et BAC, 1ᵉʳ trimestre 2014
Imprimé au Canada

Mario Vivier

Dieu et le docteur Grübbel

roman

Triptyque

Pour Louise, qui lit peut-être
par-dessus l'épaule de Dieu

PREMIÈRE PARTIE

L'arrivée

La première réaction du docteur Hans Grübbel, lorsqu'il aperçut celui qui devait devenir son nouveau patient, fut de trouver sa figure vaguement familière. L'homme devait avoir à peu près le même âge que Grübbel, soit le début de la quarantaine. Il portait une barbe soignée, des lunettes à monture métallique aux verres ronds ; sous son pardessus, on distinguait un costume gris banquier impeccable et un nœud papillon à pois. Diable ! Où donc l'avait-il déjà vu ? L'homme surveillait une malle que le cocher du fiacre, aidé de Stefan, l'homme à tout faire de Grübbel, déchargeait de la voiture. Cette malle de bonnes dimensions et apparemment assez lourde indiquait que le nouvel arrivant prévoyait passer un long séjour à la maison de santé du docteur Grübbel. Puis, alors que le ciel nocturne était déchiré par un éclair gigantesque, le docteur Grübbel retrouva un nom au fond de sa mémoire. La ressemblance était suffisamment frappante pour que le docteur murmure ce nom qui était celui d'un confrère : Sigmund Freud. Mais ce murmure ne devait être entendu de personne car, outre le fait que Grübbel se trouvait seul, il fut prononcé alors même que le tonnerre grondait, un roulement de tambour terminé par un puissant coup de canon. Grübbel porta la main à son oreille droite où déjà il avait le désagrément d'entendre, par intermittence, un sifflement agaçant. Un nouvel éclair vint alors jeter sur la scène un éclairage cru et saisissant. Les trois hommes étaient courbés au-dessus de la malle comme trois sorcières au-dessus de leur chaudron maléfique. Dans ce court intervalle lumineux, le docteur Grübbel eut le temps d'apercevoir le regard fuyant de l'homme qui relevait la tête. C'était le regard d'un animal blessé ou traqué, un regard qui cherchait autour de lui un repère, un chemin par où fuir le cas échéant. Un regard qui eut aussi le temps, dans le bref foudroiement électrique, de se porter jusqu'à la fenêtre où se trouvait le docteur Grübbel. Celui-ci eut alors le sentiment que leurs regards s'étaient croisés comme des fers et avec une intensité prodigieuse qu'il mit aussitôt sur le compte de l'éclairage fantomatique.

Le docteur Grübbel observait cette scène depuis la fenêtre de son bureau situé à l'étage de la maison de santé et qui donnait sur la cour intérieure par où le fiacre était arrivé, les deux chevaux piaffants et l'écume à la gueule, alors que l'orage éclatait.

Deux jours auparavant, une lettre l'avait prévenu de l'arrivée de ce nouveau patient, lettre vraisemblablement écrite par l'intéressé lui-même, une lettre plutôt banale et laconique, mais dont la signature l'avait autant étonné qu'amusé :

28 novembre 1899
Cher docteur Grübbel,
Je me trouve dans un état déplorable et souhaiterais vivement que vous m'examiniez. Auriez-vous l'obligeance de me réserver une chambre ou un pavillon dans votre clinique dont j'ai entendu le plus grand bien? J'arriverai le 30 novembre prochain vers 10 heures du soir.
Dieu

En apercevant son patient qui ressemblait tant à Freud, le docteur Grübbel crut d'abord à une plaisanterie, à un canular de mauvais goût de la part de son confrère. Mais, à l'instant précis de l'arrivée de l'homme, ce fut son regard où se lisait une détresse certaine qui l'empêcha d'abonder dans ce sens. Après tout, il ne pouvait s'agir que de cela: une ressemblance. Car il y avait bien une dizaine d'années qu'il n'avait pas revu Freud qui, par ailleurs, ne lui était jamais apparu comme un plaisantin... De toute façon, un rapide télégramme à Vienne, où habitait et pratiquait Freud, viendrait dissiper tous les doutes possibles. D'un autre côté, n'y avait-il pas cette possibilité tout à fait sidérante qu'il se fût bel et bien agi de Freud en pleine crise de démence? Freud croyant être Dieu... Cette pensée faisait sourire. Certes, il y avait aussi la possibilité que cette machination eût été orchestrée par un autre condisciple, voire même un journaliste, dans l'intention de tester les capacités médicales de Grübbel. En vérité, ces deux professions ne manquaient pas d'envieux et de cyniques prêts à tout pour défaire une réputation. Hé! Comme tout cela s'annonçait intéressant!

Stimulé par ce qu'il entrevoyait comme un possible duel intellectuel, le docteur Grübbel sortit de son bureau et descendit d'un pas allègre les marches de pierre de l'escalier central pour aller à la rencontre de son nouveau patient. Il parvint au hall au moment où celui-ci entrait et secouait les gouttes de pluie de son pardessus. L'homme, qui l'avait entendu arriver, releva la tête et lui jeta un regard myope derrière les verres épais de ses lunettes constellées de gouttes d'eau. Son visage qui avait une mine grave s'épanouit en voyant Grübbel s'avancer vers lui et un magnifique sourire s'afficha sur sa figure osseuse que dissimulait plus ou moins la barbe.

— Ah! Docteur Grübbel! Comme vous me voyez ravi de vous rencontrer enfin! J'espère que vous appréciez ma petite mise en scène de l'orage! N'est-ce pas ainsi que l'on fait dans certains de vos romans?

Puis, toute trace de nervosité ayant disparu, il tendit une main chaleureuse quoique moite et, mondain, se présenta:

— Dieu!

« Je crois que je suis fou! »

La clinique du docteur Grübbel était située dans la campagne allemande, à deux heures de train de Berlin et à quinze minutes à cheval de S., le village le plus proche. Elle représentait, aux yeux de Grübbel, son plus grand accomplissement. Accomplissement à la fois professionnel et esthétique, c'est-à-dire personnel, car la clinique était aussi la demeure privée de Hans Grübbel.

Au départ, il s'agissait d'un manoir délabré, pour ainsi dire d'un amas de ruines, qu'il avait rénové à grands frais et décoré avec son goût excentrique et teinté de byronisme. De sorte qu'à présent, le manoir était édifié et se confondait avec les ruines de la demeure ancestrale dont quelques murs et d'indénombrables pierres étaient demeurés en place ou avaient servi à la reconstruction comme, par exemple, l'escalier central. Et c'était là la grande fierté du docteur Grübbel : que sa demeure tint à la fois du manoir seigneurial décati et de la confortable maison bourgeoise. Il aimait à dire, en manière de boutade mondaine, qu'elle était une demeure « hystérique » hésitant entre ses deux personnalités.

Quoiqu'il en fût, le cadre sylvestre où se trouvait le manoir en ruine et où s'élevait à présent la demeure et clinique, ce cadre, donc, était apparu idéal pour les visées thérapeutiques du docteur. C'est tout naturellement qu'il s'était lancé dans un vaste programme de rénovation et de réaménagement, tout en tentant de conserver le plus possible le cachet moyenâgeux de la demeure originale et le caractère sauvage du site où elle se trouvait. Cependant, ce que le docteur Grübbel considérait comme une réussite architecturale dans un cadre sauvage et naturel pouvait apparaître à d'autres comme le fruit sinistre d'un homme de mauvais goût, une espèce de folie macabre en un lieu inhospitalier. Mais le docteur Grübbel n'aurait pas manqué de sourire à une telle observation et aurait sans doute dit que, si le sang se glaçait devant un tel spectacle, c'était parce qu'il représentait à la perfection, quoique d'une façon symbolique, les profondeurs obscures et insondables de la psyché humaine et que l'homme préférait l'ignorer car cela provoquait en lui un certain malaise. Et, en effet, la demeure immense et inquiétante, entourée par une dense forêt où ne perçait qu'une lumière crépusculaire, semblait sortir tout droit d'un rêve, sinon d'un cauchemar.

C'est d'ailleurs ce que ne manqua pas de lui faire remarquer son nouveau patient, non sans une certaine pointe d'ironie :

— Quelle demeure, cher docteur ! On se croirait dans l'une de ces fabulations morbides de l'auteur américain que vous affectionnez tant, vous savez bien, cet Edgar Allan Poe ! Et cette forêt qui craquait de toute part dans l'obscurité à cause de ce vent furieux ! Hé ! J'imagine que cette maison plairait beaucoup à l'Autre, enfin... si l'Autre est réel et non le fruit de mon imagination troublée. Peu importe! J'avoue que c'est exactement ce dont j'avais besoin en les circonstances: un endroit retiré, paisible et propice à la confession!

Grübbel acquiesça d'un hochement de tête retenu et entraîna son nouveau patient vers un salon où il fit servir du thé. L'homme se laissa choir de tout son poids sur un fauteuil qui craqua sa désapprobation tandis que Grübbel, en soupirant, prenait place sur un canapé en face de son patient. Il croisa les mains sur sa cuisse et s'enquit auprès du nouvel arrivant:

— Alors, dites-moi maintenant comment je puis vous être utile, monsieur?

Grübbel fit un geste d'encouragement de la main, autant pour que l'homme lui explique ce qu'il attendait de son médecin que dans l'espoir qu'il décline enfin son patronyme.

— Dieu! Ne vous l'ai-je pas déjà dit?!

L'homme sembla véritablement offensé. Mais Grübbel ne s'en aperçut pas car il était alors tout à fait subjugué par sa prodigieuse ressemblance avec le docteur Freud. En vérité, Grübbel n'avait pas revu son confrère depuis plus d'une dizaine d'années et il était probable, ou du moins dans la nature des choses, que ses souvenirs aient plus ou moins souffert du temps passé. Et puis, lorsque Grübbel songeait à l'une de leurs dernières rencontres, en 1887, à Paris, il n'avait pas devant lui une séquence précise de souvenirs, par exemple le déroulement d'un repas et des répliques échangées par les convives, ou une discussion au salon alors que l'on grillait un cigare, non... Grübbel avait plutôt devant lui une image fixe de son confrère, statique et vaguement reliée à l'air du temps du

Paris de cette époque. De sorte que le docteur Grübbel ne pouvait jurer, hors de tout doute, que l'homme devant lui était bien Sigmund Freud.

— Dieu? fit-il en reprenant soudain ses esprits.

— Oui, Dieu! Le Créateur! Le Père! Dieu le Père! Quoi? Cela vous choque, docteur?

Aucun doute: l'homme était bel et bien outré. D'un geste brusque, il s'empara de sa tasse de thé et en aspira une bruyante gorgée. Puis, sans rien ajouter, il se mit à fixer froidement le docteur Grübbel.

— Non, cela ne me choque pas. Dieu le Père... C'est disons... inusité, répondit-il avec prudence.

Or, sans qu'il sût pourquoi, il associa l'image de Dieu le Père à celle de Judas qui pendouillait à la branche d'un arbre. Plus tard, il se dirait que c'était sans doute parce qu'il croyait à une machination et qu'il associait son patient à un imposteur, un traître et que son esprit était demeuré captif d'un schème de pensées religieuses. Mais ce n'était qu'une hypothèse, bien entendu...

— Mais, j'y songe... Vous êtes peut-être athée? insinua le patient en fronçant les sourcils. Cela ne serait pas surprenant de la part d'un homme de science.

— Permettez-moi pour l'instant de ne pas répondre à cette question. Puis-je cependant ajouter une chose?

— Je vous en prie...

— Vous ressemblez beaucoup à quelqu'un que j'ai connu autrefois...

D'un coup, le visage de l'homme s'illumina. Ses yeux pétillèrent de satisfaction.

— Ha! Je crois saisir! Que voulez-vous, il me fallait bien prendre une apparence humaine, comme je l'ai déjà fait par le passé... si vous voyez ce que je veux dire!

— Oui, bien sûr... mais cette fois-ci, vous savez donc à qui je fais allusion ? demanda Grübbel sans prononcer le nom de Freud.

— Allons ! Ne faites donc pas votre petit juge d'instruction qui cherche par des détours à soutirer des renseignements, des aveux... Bien sûr que je sais à qui vous faites allusion !

Grübbel tenta de demeurer imperturbable mais ses doigts se mirent à tapoter sa cuisse. Si ce type n'était pas Freud, il avouait avoir forcé la ressemblance. Cependant, aucun d'eux n'avait prononcé le nom du médecin viennois. Oui, il fallait télégraphier à Vienne le plus vite possible.

— En effet, la ressemblance me semble frappante, tenta à nouveau Grübbel en espérant que l'homme précise laquelle.

Mais celui-ci se contenta de hocher la tête, comme s'il eut été de connivence avec Grübbel. Ce dernier quitta donc le terrain de la ressemblance et demanda à nouveau :

— Vous ne m'avez toujours pas répondu : en quoi puis-je vous être utile ?

La voix de l'homme se fit chevrotante :

— Docteur... je crois que...

Il s'interrompit pour déglutir péniblement, soupira, et reprit :

— Je crois que je suis fou !

Dans son bureau

Le docteur Grübbel bourra sa pipe. Il était de retour dans son bureau, à l'étage, où seule une lampe sur sa table de travail diffusait une morne lueur. C'est ainsi qu'il terminait la plupart de ses journées, c'est-à-dire fort avant dans la soirée, entouré du faible éclairage dans lequel flottait un nuage aromatique de tabac. Ordinairement, ce moment privilégié était réservé à l'écriture de son journal personnel, mais ce soir-là, bien que le solide cahier relié plein cuir fût ouvert devant lui, le docteur Grübbel n'écrivait pas. Il tirait sur sa pipe, perdu dans des réflexions labyrinthiques. Il n'arrivait pas à les rassembler en un tout homogène, synthétique. D'où sa réticence à ouvrir son cahier. Car tout devait toujours y être rigoureusement ordonné, chaque pensée devait avoir été soupesée avant d'y être consignée. Peut-être aussi le petit bourdonnement dans son oreille le dérangeait-il. Aussi se donna-t-il encore quelques minutes de réflexion. Une fois la pièce bien enfumée, il trempa la pointe de métal de la plume dans l'encrier. Mais il devait en convenir plus tard, en se relisant, ce n'était pas son style habituel.

Journal du docteur Grübbel

30 novembre 1899

L'homme qui avait signé sa lettre Dieu est arrivé ce soir. Or, quel ne fut pas ma surprise lorsque je l'ai aperçu! Il ressemble à s'y méprendre à Sigmund Freud, un confrère qui pratique aujourd'hui à Vienne. En fait, il s'agit peut-être de Freud. La situation est donc la suivante:

1. Cet homme, qui n'est pas Freud, est fou. Il se prend pour Dieu.

2. Cet homme, qui n'est pas Freud, n'est pas fou. Il joue un jeu, celui de ressembler à Freud tout en prétendant être Dieu. Il s'agirait donc d'une mauvaise blague. Mais par qui et dans quelle intention?

3. Cet homme est bien Freud. Il me fait une mauvaise blague. Mais avec quelles intentions?

4. Cet homme est bien Freud. Freud est devenu fou. Il se prend pour Dieu.

(Je pourrais ajouter une cinquième possibilité par souci de justice envers la loi des probabilités, mais la science s'y oppose. Contradiction?)

Pour l'instant, j'ai logé mon nouveau patient dans un pavillon particulier. Il ne représente, à mon avis, aucune menace pour la sécurité de quiconque et il a demandé lui-

même à être logé luxueusement, *comme il est en mesure de l'être, a-t-il ajouté. Dieu a donc la bourse bien garnie?*

Dès demain je télégraphie à Vienne pour avoir des nouvelles de Freud. Ainsi, je pourrai biffer une ou deux suppositions.

Tout ce que je peux dire jusqu'à maintenant, c'est que cet homme semble avoir reçu une bonne éducation, qu'il connaît les usages du monde, qu'il est respectueux bien que légèrement prétentieux. Mais il a aussi des pointes d'agacement et se montre facilement offensé lorsqu'il sent qu'on met en doute sa nature divine. *Cela cache peut-être un caractère agressif, voire violent.*

Délire mystique? Certainement pas impossible. Mais il n'a pas, à proprement parler, un comportement délirant. *Je compte approfondir tout cela demain.*

Cas fort intéressant.

Ici, le docteur Grübbel esquissa un sourire et se leva. Il se dirigea vers un buffet d'où il tira une bouteille et un verre qu'il emplit à moitié d'un liquide ambré et revint s'installer à son bureau. Il but une gorgée et, à nouveau, plume en main, il hésita. Puis, hochant la tête comme s'il venait de se convaincre lui-même, il poursuivit.

Je dois en toute justice rapporter ici la teneur de notre conversation. Après qu'il m'eut dit être Dieu et souffrant d'une maladie mentale, je l'enjoignis de poursuivre. Alors, il déclara:

— Imaginez ceci, docteur Grübbel, que je sois Dieu, le seul et vrai (et croyez-moi, je le suis!), mais que je sois malade, que mon esprit divin se soit détraqué, vous voyez?

Que je sois, euh... dément, en quelque sorte. Bref, que je sois une espèce d'illuminé vivant dans son monde intérieur, dans sa propre création... Vous me suivez, docteur? D'ailleurs, ce n'est pas à vous, médecin, que je vais apprendre que cela arrive aussi aux humains. Vous dites qu'ils sont fous parce qu'ils vivent dans un monde de chimères qu'eux-mêmes ont façonné de toutes pièces et qu'ils tiennent pour la seule réalité qui soit. Et bien, moi qui peux tout créer, je me demande si je l'ai bel et bien fait ou si ce n'est pas une illusion, une fantaisie de mon esprit détraqué; je me demande si, en vérité, la Création n'existe tout simplement pas! Vous voyez où nous en arrivons, docteur? Si je suis malade, dément et que vous me guérissez, vous disparaî-trez, car vous n'êtes vous aussi qu'une chimère inventée par mon esprit dérangé... En fait, tout disparaîtra: vous, votre clinique, votre monde... Alors, qu'en dites-vous, docteur Grübbel, voulez-vous me soigner?

N'y avait-il pas une pointe de provocation dans sa der-nière question? J'ai simplement acquiescé:

— Je vois...

Lui continuait de me regarder fixement, cherchant sans doute à savoir, à tenter de lire sur mes traits si j'étais troublé ou non. À moins que ce ne fût qu'anxiété de sa part, attendant une réponse plus affirmative. Et comme je n'ajoutais rien, il demeurait suspendu à mes lèvres. Sans doute n'aurais-je pas dû ajouter la réflexion suivante car, en fin de compte, c'était sans doute celle qu'il espérait, et alors je suis tombé dans son piège.

— Mais dites-moi: si le traitement réussit, si vous recouvrez la santé et que ce monde disparaît, qui vous aura guéri en définitive?

— Allons, docteur Grübbel! Ce n'est pas à vous que je vais apprendre, en matière de guérison mentale, que c'est toujours le patient qui se guérit lui-même. Et à plus forte raison dans mon cas!

Il y eut alors un sourire victorieux sur ses lèvres, de cela j'en suis certain. Il ne me restait plus qu'à sourire moi-même, de la façon la plus détachée possible. Mais j'ai aussitôt ajouté, pour reprendre l'avantage et signifier que c'était bien moi qui contrôlais nos entretiens :

— Le voyage a dû vous fatiguer. Allez donc vous reposer. Nous nous reverrons demain pour une première séance. Dix heures, cela vous convient?

— On ne peut plus, docteur Grübbel, on ne peut plus!

Une rencontre dans la forêt

Le lendemain matin, le docteur Grübbel envoya un télégramme à Vienne. Il prétexta saluer la parution de l'ouvrage de son confrère, au début de novembre, sur l'interprétation des rêves. Il demanda en outre si le docteur Freud pouvait le recevoir dans les prochains jours car il était probable qu'il passe par Vienne et il aurait aimé s'entretenir avec son éminent confrère de certaines réflexions qui lui étaient venues à la lecture du livre. Tout cela n'était naturellement que stratégie de la part de Grübbel. En vérité, il n'avait pas encore lu l'ouvrage de Freud, ce qu'il se promit néanmoins de faire dans les jours suivants, par acquit de conscience. Puis, après un solide petit-déjeuner, Grübbel alla faire quelques pas dans la forêt environnante.

C'était une merveilleuse matinée, le premier décembre 1899... Depuis quelque temps, Grübbel s'enthousiasmait à l'idée que bientôt on basculerait dans un nouveau siècle, plein de promesse et de progrès. Encore un mois...

L'air était frais, vivifiant. L'orage de la veille avait fait ressortir les odeurs de la terre humide et une condensation montait du sol en une brume paresseuse qui dansait mollement entre les troncs des arbres. Ce fut avec un sentiment de profonde satisfaction que Hans Grübbel emprunta un sentier taché de lumière oblique, crissant de feuilles mortes. Il écoutait avec délice le gazouillis des oiseaux et il respirait à pleins poumons l'air pur et revigorant. Marcher ainsi avait toujours été un bienfait pour ses réflexions matinales : ses pensées, lui semblait-il, devenaient aussi cristallines, aussi limpides que l'air lui-même. Aussi lumineuses. Et la beauté dénudée de la forêt automnale lui mettait l'âme en liesse. Ah! comme il aurait aimé, ce matin-là en particulier, pousser sa balade jusqu'à la demeure de la jeune baronne Salomé von Pappenheim!

— Alors, qu'en dites-vous? J'ai bien fait les choses, non?

La voix l'avait fait tressaillir. C'était celle de son patient qu'il chercha du regard sans pouvoir le découvrir. Ce dernier émergea alors d'un petit sentier secondaire. Sa démarche était tranquille et il affichait une mine réjouie que renforçaient ses joues rougies par la fraîcheur matinale. Mais son patient, nota-t-il également, non sans une certaine frustration, était chaussé de bottes en cuir hautes comme les siennes ; autour du cou, il avait un foulard qui rappelait aussi à Grübbel l'un des siens. Le patient s'arrêta et frappa le fourneau de sa pipe contre son talon pour en extirper la cendre.

— Je vous demande pardon? fit Grübbel confus.

— Je disais que j'ai bien fait les choses, répéta-t-il cette fois avec un geste large de la main, un geste circulaire qui englobait autant la forêt que le manoir plus loin.

Grübbel saisit enfin l'allusion : l'homme prétendait être Dieu... Hans Grübbel eut un petit rire de connivence et hocha la tête pour marquer son accord. Puis il ajouta d'une voix douce :

— Je croyais que vous pensiez que tout cela n'était qu'une illusion causée par votre maladie... une chimère ! N'est-ce pas ce que vous me disiez hier soir ?

— Alors je me suis mal exprimé ou vous avez mal compris. J'ai plutôt exprimé des doutes à l'égard de la réalité de ce monde, du vôtre, docteur... Mais peut-être suis-je ainsi fait que les chimères de mon esprit deviennent des réalités. La Création ! Un acte d'amour ? Un acte de folie ! Alors cette forêt bien réelle n'est qu'une conséquence tangible de ma maladie. En bon médecin, vous diriez un symptôme !

La forêt symptomatique... Cela sonnait étrangement à l'oreille de Grübbel. Une étrangeté qu'il appréciait, les deux termes n'ayant en apparence aucune relation.

L'homme tournait une pointe de sa moustache entre son pouce et son index. Son regard pétillait mais Grübbel n'arrivait pas à décider si c'était d'ironie prétentieuse ou simplement de joie naïve.

— N'est-il pas paradoxal que vous en sachiez si peu sur votre nature ? demanda Grübbel en relevant les sourcils.

Le sourire de l'homme se crispa sans pour autant s'effacer.

— Ne vous ai-je pas dit que je suis malade ! Tout réside là : je ne me fais pas confiance. Je ne suis sûr de rien. À quoi jouez-vous donc, docteur Grübbel ? Vous ne me croyez pas ? Vous ne voulez pas me soigner ? répondit-il sur un ton qui frisait la menace.

Le docteur Grübbel bomba le torse instinctivement et répliqua :

— Je n'ai jamis rien dit de tel, monsieur ! Au contraire ! Soigner est pour moi une chose sacrée !

Grübbel s'était défendu avec véhémence. Le patient hocha la tête pensivement.

— Je suis ravi de vous entendre employer un terme aussi choisi, docteur... Et pourtant, quelque chose me dit que vous ne me croyez pas. Vous refusez catégoriquement que je puisse être Dieu, avouez-le donc !

Mais Grübbel demeura silencieux. Le patient reprit :

— Je sais ce que vous allez tenter...

— Ah ? Et que vais-je tenter selon vous ?

— Me prouver que je ne suis qu'un homme... un simple mortel.

— N'avez-vous jamais songé qu'une telle éventualité puisse être vraie ?

L'homme partit d'un grand éclat de rire :

— Cher docteur Grübbel ! L'un de nous détient la vérité, en effet...

— Je le crois, oui... Oh ! C'est Zeus !

Se faufilant entre les fougères flétries bordant le sentier, un chat apparut et s'avança vers eux. Il marchait ventre au sol, les oreilles baissées et le corps frétillant. Il tenait quelque chose dans sa gueule. Cela formait une tache fauve sous le triangle rose de son nez, on eût dit une énorme moustache, ce que ne manqua pas d'observer le patient de Grübbel.

— Regardez-moi ça ! Ne dirait-on pas une moustache comme la porte ce philosophe qui prétend que je suis mort ?

Zeus s'arrêta aux pieds de Grübbel et déposa devant lui sa proie, un moineau, qu'il maintint cloué au sol de ses deux pattes de devant. Le moineau battit des ailes, se tortilla puis demeura paralysé.

— Zeus! Donne! Zeus!

Voyant que son maître cherchait à s'emparer de sa proie, le chat la reprit prestement dans sa gueule et s'enfuit. Grübbel, penaud, releva le regard sur son patient, qui souriait.

— Zeus... dit-il. Joli nom pour un chat... Vous avez créé un dieu.

— Soyez dans mon cabinet dans vingt minutes! laissa fuser Grübbel le souffle coupé par une tension intérieure.

Puis il regagna le manoir d'un pas courroucé.

Première séance

— Parlez-moi de votre enfance, demanda Grübbel.

— Vous voulez rire, docteur!

Le regard intense de cet homme commençait à l'agacer sérieusement.

Les deux hommes se trouvaient dans le cabinet de consultation situé au rez-de-chaussée. L'homme était confortablement assis dans un fauteuil de cuir vert, les jambes croisées, les bras sur les accoudoirs. Grübbel lui faisait face, assis à un bureau massif où il prenait des notes brèves, souvent des abréviations afin de ne pas perdre le flux verbal de ses patients. Après les séances, il recopiait notes et réflexions dans un style plus étoffé et constituait ainsi un dossier.

Lorsque son patient était entré dans le cabinet, Grübbel avait remarqué un changement dans sa physionomie. C'était comme si, soudainement, il s'était trouvé face à un inconnu. Au bout d'une minute, cependant, Grübbel comprit la source de cette sensation : son patient s'était rasé la barbe.

— Non, reprit Grübbel, je n'ai aucune envie de rire. Pourquoi pensez-vous cela ?

— Pourquoi? s'exclama son patient interloqué. Allons! Chacun sait que je n'ai pas d'enfance! *Je suis celui qui n'a pas été engendré et qui n'engendra pas...*

— Une citation biblique, je suppose...

— Non. Un verset du Coran.

Grübbel demeura un instant interdit. S'il avait plus ou moins accepté l'hypothèse qu'il avait à faire à un cas de délire mystique, il n'avait pas prévu que cela pût prendre une tournure exotique. De façon générale, le délire mystique se cantonnait dans les limites du christianisme, du moins en Europe. Comment se faisait-il que cet homme connaisse des versets du Coran? Était-il un orientaliste?

— Le Coran? répéta Grübbel avec circonspection.

Et il nota sur la feuille qu'il avait devant lui: «Coran, verset: je n'ai pas engendré... etc.»

— Oui, le Coran, docteur, le Coran! La bible des musulmans! insista le patient avec une pointe d'agacement.

— Je sais ce qu'est le Coran, crut bon de répliquer Grübbel comme s'il craignait d'avoir été pris en flagrant délit d'ignorance.

— Mes propres paroles transmises au prophète Muhammad! Enfin... par l'entremise de l'ange Gabriel, si vous tenez à la précision...

— Seriez-vous donc musulman?

Et Grübbel nota: «D'où lui vient la conn. de la rel. musul.? Lect.? Voyage? À vérif.»

— Qu'est-ce que vous allez chercher là! Je suis Dieu!

— Je vois, concéda Grübbel. Mais je suis curieux. Réfutez-vous donc la nature divine de Jésus-Christ?

31

Car, selon les chrétiens, il est votre fils et cela semble en contradiction avec le verset coranique que vous venez de citer...

Aussitôt la question posée, Grübbel s'en voulut de s'être laissé entraîner dans un débat théologique. Pourquoi avait-il donc soulevé cette question? devait-il se demander plus tard, conscient (et irrité de l'être) que cette dernière n'était pas motivée par un intérêt purement thérapeutique.

— Ah! La paternité! Le Fils! Mais ne l'ai-je pas inventé de toutes pièces? N'est-ce pas également une chimère? N'est-ce pas moi sous une autre forme? fit le patient sur la défensive.

Grübbel se redressa sur sa chaise. Il sentait dans son corps, sur son front et ses joues une chaleur qui l'indisposait.

— Autrement dit, commença Grübbel sur un ton dubitatif, votre fils n'aurait pas été... hum... *créé* sans votre total assentiment? Bref, cela se serait fait, pour ainsi dire, à votre insu...

— Docteur... cela ressemble fort à la définition d'un bâtard!

D'un côté, Grübbel marchait sur des œufs et cherchait avec componction à atténuer les termes de sa question pour ne pas troubler son patient; de l'autre, ce dernier semblait vouloir fournir au médecin les termes que celui-ci cherchait précisément à éviter comme pour tenter de lui faire porter le blâme.

— Je n'ai pas employé ce mot ni voulu le suggérer, se justifia Grübbel. Comprenez-moi bien, monsieur: je ne cherche qu'à éclairer la situation.

L'homme parut alors sérieusement réfléchir.

— S'il est mon fils, alors oui, il faut bien avouer que je ne l'ai pas voulu en toute conscience. Encore un symptôme, je suppose. Et il est peut-être devenu réalité. Rien n'est impossible. Mais peut-être que j'invente tout ça, toutes ces guerres de croyances. Vous voyez? Pour me donner quelque importance à mes yeux. Or, si je suis malade et que vous n'existez pas, alors mon fils... Dites-moi, docteur Grübbel, croyez-vous que vous existez?

Grübbel releva les sourcils de surprise. La question lui paraissait bien naïve et, pourtant, il prit quelques secondes avant de répondre, non pour réfléchir, mais pour inspirer profondément, bien sentir l'air gonfler ses poumons, le sang battre à ses tempes.

— J'en ai l'intime conviction, affirma-t-il avec une tranquillité pleine d'indulgence pour la question de son patient.

— Et c'est bien la même chose en ce qui me concerne. Seulement voilà, c'est aussi ce que disent les déments à propos de leurs chimères... Chacun vit dans ses illusions et n'est peut-être que la chimère de quelqu'un d'autre.

— Si illusion il y a! Mais je remarque que vous cherchez, de manière tout à fait tendancieuse, à me faire jouer le rôle du dément... nota Grübbel sur un ton plaisant.

— Pas du tout! Ne croyez pas ça! Ça me concerne tout autant que vous. Je voulais simplement souligner que vous avez foi en votre propre existence...

— Foi? Encore un mot d'esprit, je suppose... badina Grübbel. Mais comment pourrait-il en être autrement? Je suis ici, à mon bureau; vous êtes devant moi... Je veux dire que je respire, que je sens mon cœur battre...

— Et si vous étiez assis devant un miroir? Vous respirez et le reflet respire également. Mais seul l'un de ces hommes vit réellement. Lequel?

Le patient se tut. Il observa son médecin avec une fixité joueuse. Grübbel tapota son bloc-notes du revers de son crayon, affectant lui aussi la mine de la plaisanterie spirituelle. Allons, se dit-il, il faut remettre l'analyse sur ses rails.

— Donc, pas d'enfance?

— Non, pas que je sache... Peut-être me l'a-t-on volée.

Grübbel nota: «Pas d'enfance. Préfère sans doute ne pas s'en souvenir. Trop douloureux?»

— Et de quand date la première prise de conscience du mal qui vous afflige?

— Oh! vous savez, le temps pour moi... Mais c'est tout de même assez récent, peut-être un petit siècle, je dirais.

Le patient avait froncé les sourcils, penché la tête qu'il avait prise dans une main tout en tapotant son front plissé à l'aide d'un doigt. Grübbel nota: «Première crise: XVIIIe siècle. N.B.: Les Lumières.»

— Oui, ajouta l'homme, le Siècle des lumières...

Grübbel tressaillit.

— Mais je n'étais pas encore sérieusement ébranlé à l'époque. Les crises plus sérieuses sont venues par la suite, précisa-t-il.

— Pouvez-vous me dire quand exactement?

— Attendez... hum! Le milieu de ce siècle, dirais-je.

Le patient toussota et, comme s'il avait complètement oublié qu'il se trouvait en séance d'analyse, se leva pour aller regarder les livres qui se trouvaient sur les rayons d'une bibliothèque, hochant parfois la tête à la vue d'un titre qui semblait l'inspirer, soupirant devant ceux qu'il devait juger de mauvais goût. Puis, jetant un coup d'œil à l'une de ses chaussures, il revint s'asseoir dans le fauteuil de cuir, sortit un mouchoir de sa poche et se mit en devoir d'en frotter la pointe pourtant impeccable. Il semblait tout à coup nerveux, feignant avec maladresse la désinvolture. Puis il eut un sourire en rangeant son mouchoir et, sur le ton d'un aveu qui lui coûtait beaucoup, il précisa :

— Bah! Si ce n'était que de Voltaire, Diderot et les autres... Fi donc! Mais seulement, les choses se sont singulièrement bousculées ces dernières années!

— Seulement depuis ces dernières années? releva Grübbel.

L'homme esquissa une moue en haussant les épaules, signe qu'il se heurtait, eût-on dit, à une fatalité.

— Je suis en perte de contrôle, je peux bien l'avouer. Et tout cela a un goût amer de trahison... Auparavant! C'était autre chose, auparavant! On s'inclinait devant mon autorité toute-puissante! On me respectait! Que dis-je! On me craignait! Ma volonté régnait sur tout et tous ; elle rythmait chacun de leurs gestes, chacune de leurs paroles. J'étais un souverain aimé et redouté tout à la fois. Ils auraient sacrifié jusqu'à leur fils pour me plaire ou ne pas encourir mon courroux. C'était la bonne vieille époque de l'Ancien Testament. J'étais un père dur mais juste. Alors qu'aujourd'hui... Ah! L'époque des hommes de l'Ancien Testament! Les bonnes années! Le temps des splendides et impérieux prophètes! Hé! Hé! Isaïe!

Souvenez-vous, docteur: «Comment est-elle devenue une prostituée, la Cité fidèle?» Du grand style! Bon, je ne dis pas que je n'ai pas inspiré le Nouveau Testament, mais avouez-le franchement, Grübbel, quelle insipidité face à l'Ancien Testament... Quelle morale de pleutres! Quelles histoires sirupeuses! En fait, autant le dire tout net: Oui, je suis fâché! Je suis en rogne! Depuis ce... ce fils! Car c'est moi qui ai dû leur en sacrifier un! Quel pathétique retournement!

Il y avait dans le cabinet de consultation une fenêtre de laquelle Grübbel pouvait apercevoir un sentier bordé par une rangée de sapins imposants. Tandis que l'homme continuait de vilipender le siècle, Grübbel s'enfuit par cette fenêtre. Ce ne fut que trois ou quatre minutes plus tard qu'il se rendit compte qu'il n'écoutait plus les propos de son patient que d'une oreille distraite. Mais ces quelques minutes d'inattention, lorsqu'il y songerait plus tard, le soir devant son journal personnel et un brandy, ces minutes donc avaient contenu tout un univers et une force incroyable de vraisemblance. Il était descendu, pour ainsi dire, dans un abime de rêveries qui avait alors complètement aboli les parois du monde réel.

Ce furent en premier lieu les branches des sapins qui mirent en marche la rêverie du docteur Grübbel. Car, derrière ces majestueux sapins se trouvait le sentier qui serpentait dans la forêt jusqu'au manoir de la jeune baronne Salomé von Pappenheim. En moins de cinq secondes, Grübbel avait enjambé la fenêtre; en trois secondes, il avait rejoint le sentier sur lequel il marchait allègrement, ce sentier qui menait à Salomé... En réalité, il fallait le suivre une bonne vingtaine de minutes avant

36

d'atteindre la demeure de la baronne, mais en état de rêverie fiévreuse, dix secondes suffisaient largement, et encore arrivait-on sans être en sueur. Et là, toujours de cette démarche de conquérant, Grübbel gravissait les trois marches du perron, ouvrait la porte massive avec une facilité radieuse, repoussait sans ménagement un domestique ébahi, empruntait l'escalier central jusqu'à l'étage, poussait d'un geste impérieux la porte de la chambre de la baronne et... Ce qui suivait était un peu plus flou, plus difficile à imaginer avec précision : un désordre de cheveux et de vêtements, une lutte qui n'en était pas une, une épaule dénudée, puis un sein surgissant du corsage de la belle, des morsures et des soupirs, l'abandon et la victoire. Salomé ! Salomé !

— Docteur Grübbel ? Docteur Grübbel !

Il sursauta.

— Excusez-moi... heu... je songeais à ce que vous disiez, mentit-il effrontément.

— Et que disais-je ? demanda l'homme avec un sourire moqueur.

— Vous parliez de ce siècle qui finira dans un mois...

— Où étiez-vous donc, docteur Grübbel ? fit d'un ton posé le patient.

Grübbel se racla la gorge.

— Vous avez mentionné Darwin et son ouvrage sur l'évolution des espèces. Très intéressant.

— Oui. Entre autres choses…

Puis ils demeurèrent tous deux silencieux. Grübbel tira sur les manches de sa chemise pour en faire dépasser la manchette sous son veston. Enfin, ayant repris une certaine contenance, il reposa les yeux sur l'homme devant lui pour l'observer attentivement. Un scientifique comme Freud, se dit Grübbel, devait nécessairement s'intéresser de près à la théorie de l'évolution des espèces de Charles Darwin. Et si son patient était Freud, quel amusement devait-il ressentir à cet instant même !

— Pourquoi avez-vous pris l'apparence de Sigmund Freud ? demanda Grübbel de but en blanc.

— Qui ? Sigmund Freud ? Vous trouvez que je lui ressemble ? C'est peut-être votre imagination qui fait ce rapprochement. Je n'y suis pour rien.

Il avouait donc qu'il savait qui était Sigmund Freud, nota Grübbel en lui-même. Le médecin pinça les lèvres et hocha la tête, non sans un certain dépit.

— Bien sûr, maintenant que vous vous êtes rasé, la ressemblance est moins frappante. Mais je me demande si, en forçant la ressemblance avec mon distingué confrère, vous n'aviez pas l'intention de suggérer, volontairement ou à votre insu, que Freud se prend pour Dieu ?

— Décidément, je ne comprends pas votre allusion. C'est vous qui voyez une ressemblance. Cependant, je peux bien le dire, ce Freud, comme Darwin, comme Marx et comme ce Nietzsche, est en train de repousser les ténèbres... Enfin, je suppose qu'il en a la prétention. Avez-vous lu son ouvrage qui vient tout juste de paraître sur l'interprétation des rêves ?

Grübbel éluda la question et prit une profonde inspiration. Il sentait monter en lui un agacement qui sapait peu à peu toute possibilité de réflexions saines et logiques, agacement qui se transformait, de minute en minute, en une profonde exaspération. Comment sortir de cette impasse ? Comment faire marche arrière ? Il eut alors l'impression très nette, la quasi-certitude que son but n'était plus de guérir un homme qui se prenait pour Dieu, mais de démasquer un imposteur qui s'amusait à le tourmenter. C'était sans doute là la cause de son irritation grandissante car cet homme, Grübbel en était de plus en plus persuadé, n'était pas fou. Mais était-il Freud?

Sur son bloc-notes, il écrivit:

« 1. Cet homme est Freud. Il cherche à me tourner en bourrique.

2. Cet homme n'est pas Freud. Il cherche à me tourner en bourrique. »

Et soudainement, en un geste irréfléchi, il cassa rageusement la mine de son crayon et s'écria:

— Ça suffit comme ça! Pourquoi faites-vous ça, docteur Freud?! Vous croyez qu'en vous rasant la barbe à présent je serai dupe?

Il ponctua sa tirade par un puissant coup de poing sur son bureau et demeura figé, crispé par une sorte de surexcitation anormale.

L'homme ouvrit de grands yeux, estomaqué par l'emportement nerveux du médecin.

— Je... je suis confus, docteur Grübbel, balbutia-t-il comme s'il cherchait à reprendre son souffle.

Mais ce n'était pas un aveu, comme le crut un instant Grübbel, car l'homme reprit aussitôt:

— Je ne suis pas Sigmund Freud, vous le savez bien...

Grübbel soupira. Si cela avait été une quelconque tactique de sa part, elle avait lamentablement échoué. De toute façon, le lendemain matin, il aurait sans doute reçu de Vienne une réponse à son télégramme. Mais sa mauvaise humeur ne l'avait pas quitté pour autant.

— Alors, qui êtes-vous ? Quel est votre nom ? Essayez de vous souvenir... demanda-t-il du ton le plus calme possible.

L'homme pencha son menton sur sa poitrine et secoua lentement et avec tristesse sa tête de droite à gauche.

— Je vous l'ai déjà dit, docteur...

Grübbel essuya des miettes imaginaires sur son bureau. Enfin, péniblement, il se leva et se dirigea vers la fenêtre qu'il entrouvrit. Un vent frais pénétra aussitôt dans la pièce. Là-bas, les augustes sapins bougeaient mollement. Le sentier... le sentier menant à Salomé...

— Je ne comprends pas... murmura-t-il comme pour lui-même.

— Pardon ?

— Dieu n'est-il pas omniscient ? Alors vous devez nécessairement connaître le mal qui vous ronge. Et vous devez tout aussi sûrement connaître l'issue de votre thérapie. Alors, pourquoi persister ?

Puis, se tournant d'un coup vers l'homme :

— À quoi jouons-nous, monsieur ?!

Au lieu de répondre à la question, le patient répliqua :

— Cette fenêtre... Vous ne cessez de vous y intéresser depuis le début de notre entretien... Et c'est elle que vous regardiez lorsque vous avez eu... heu... un moment d'absence...

Grübbel crut bon de sourire à la remarque. Il se tourna même du côté de la fenêtre et observa les branches des sapins qui semblaient danser dans le vent.

— J'aime ces vieux sapins qui bordent le sentier, avoua-t-il d'un ton rêveur.

— Et où mène ce sentier?

— Dans la forêt...

— Dans la forêt? Il ne mène nulle part autre que dans la forêt? s'étonna, mi-figue, mi-raisin, le patient de Grübbel.

— Mais n'est-ce pas le propre des sentiers sylvestres? À moins que ce ne soit à l'antre du dragon... fit le médecin avec un petit rire forcé, sans quitter des yeux les sapins.

— Ou à la grotte de la fée... ajouta l'homme.

Grübbel se tourna à nouveau vers lui.

— J'ai comme l'impression que vous savez très bien où mène ce sentier.

— Il se peut que je le sache, n'empêche que j'aimerais bien vous l'entendre dire.

Grübbel claqua sa langue au palais.

— Cela suffit pour aujourd'hui, monsieur... Dieu!

Une fois seul dans le cabinet, Hans Grübbel en fit plusieurs fois le tour, les mains croisées dans le dos et le regard rivé au plancher. Puis il s'arrêta devant la bibliothèque que son patient, quelques instants plus tôt, avait épluchée du regard. Grübbel lut quelques titres et le nom des auteurs: Diderot, Voltaire, Marx, Nietzsche, Darwin et, naturellement, Freud (*L'interprétation des rêves*). Puis il sortit du rayon *Par-delà le bien et le mal* de Nietzsche et l'ouvrit au hasard. Il tomba sur un passage qu'il avait lui-même souligné au crayon:

Dans l'Ancien Testament juif, le livre de la justice divine, il y a des hommes, des choses et des discours d'un si grand style que les littératures grecque et hindoue n'ont

41

rien à leur opposer. [...] *Avoir accolé à l'Ancien Testament ce Nouveau Testament, si rococo à tous les points de vue, pour n'en faire qu'un seul livre que l'on a appelé Bible, le « livre des livres », c'est peut-être la plus grande témérité, le plus grand péché contre l'esprit que l'Europe littéraire ait sur la conscience.*

Grübbel hocha la tête et esquissa un sourire.

Vraiment, vous ne vous en souvenez pas? Je suis étonné. Surpris, et même déçu pour être tout à fait franc. Voyons, ça ne vous dit rien? Paris? Octobre 1887? Nous logions au même hôtel, rue Royer-Collard, l'Hôtel de la Paix, si je me souviens bien. C'était tout près du jardin du Luxembourg. Ça alors! D'octobre à décembre, nous avons eu de nombreuses conversations! Allons! Deux compatriotes dans le même hôtel, à Paris! Nous étions dans la vingtaine... Oh! La belle époque! Nous avions exactement le même âge: 26 ans. Nés le même jour de mai 1856! Souvenez-vous: nous avions bien ri de cette coïncidence. Sérieusement, vous n'en gardez aucun souvenir? Vous me racontiez des choses stupéfiantes à propos du stage que vous faisiez alors à l'hôpital de la Salpêtrière. Ces cas de femmes hystériques, l'hypnotisme, votre professeur Charcot... J'étais fasciné par tout ce que vous me disiez. Déjà à cette époque, je voyais poindre le génie en vous. Si! Si! Je vous l'assure! Et je savais que vous feriez encore mieux dans les années à venir... Moi, à cette époque, je vivais ma vie de bohême. Je n'avais aucun souci d'argent, grâce à un copieux héritage. Souvenez-vous, je vous avais même interrogé à propos d'un bourdonnement que j'avais par intermittence dans les oreilles. Tous les médecins que j'avais consultés n'avaient rien trouvé: pas d'otite, pas d'infection, pas de bouchon, rien! Rien de rien! Vous m'aviez alors suggéré qu'il n'était peut-être pas impossible que cela fût d'origine nerveuse. Puis vous m'aviez proposé des injections de cocaïne pour apaiser l'agacement et la fatigue que me causaient ces crises. Ha! Vous-même en faisiez usage! Vous disiez que c'était un excellent stimulant et que cela vous aidait à travailler davantage et à résister à la fatigue. Je crois même me souvenir que vous en vantiez les vertus aphrodisiaques. Depuis lors, je n'ai jamais cessé d'en user, mais avec parcimonie, je vous l'assure. Et seulement lorsque les circonstances le commandent... Je vous expliquerai. En fait, je ne vois pas comment je pourrais m'en passer, et c'est à vous la faute... Mais non! Je vous taquine! Bref, c'est là l'histoire de notre rencontre. Moi, je dormais le jour et j'écrivais la nuit. Je connaissais quelques poètes qui habitaient le même quartier que nous. Des symbolistes... Il y avait ce type, Verlaine... Un fameux coco, celui-là!

Roule, roule ton flot indolent, morne Seine.
Sous tes ponts qu'environne une vapeur malsaine
Bien des corps ont passé, morts, horribles, pourris,
Dont les âmes avaient pour meurtrier Paris.
Mais tu n'en traînes pas, en tes ondes glacées
Autant que ton aspect m'inspire de pensées!

C'est d'ailleurs dans ce cercle de poètes buveurs d'absinthe que j'appris à connaître Edgar Allan Poe dont je devins tout à fait passionné. J'entrepris alors des études de langue anglaise et, pour me perfectionner, j'allai vivre quelque temps à Londres. J'y demeurai jusqu'en novembre 1888 et, à la suite de circonstances adverses, je dus quitter la ville. C'est alors que j'entrepris un long voyage qui dura bien des années et me mena aux quatre coins du monde.

Vraiment, vous ne vous souvenez pas de moi, docteur?

Réflexions dans la forêt symptomatique

L'antre du dragon? La grotte de la fée?

Grübbel marchait à grandes enjambées fébriles dans le sentier menant au manoir de la jeune baronne Salomé von Pappenheim. Il pensait, Dieu sait pourquoi, à Darwin. Darwin! Qu'est-ce que Darwin avait à voir dans tout cela? L'ouvrage du scientifique anglais était paru quelque quarante ans auparavant, en 1859 pour être exact. Grübbel l'avait lu, sans grand enthousiasme, mais tout de même intéressé par les conclusions qui s'en dégageaient. Les différentes espèces animales s'adaptaient à leur milieu par l'évolution, et seules les espèces les mieux adaptées survivaient; les autres disparaissaient irrémédiablement. Autrement dit, rien n'était stable et la Création, pour autant qu'il y en eût une, avait évolué sans la volonté d'un Créateur. Des espèces avaient cessé d'exister faute de s'être adaptées, et d'autres avaient survécu en s'adaptant à leur milieu. Et l'homme n'était pas autre chose qu'une espèce de singe s'étant adapté. Un processus naturel duquel Dieu était absent. C'était du moins une conclusion possible.

Dieu...

Et il était sans doute possible d'appliquer cette théorie aux concepts humains, songeait Grübbel en marchant dans son sentier. Si Dieu, ou le concept de divinité, ne s'adaptait pas à son milieu, il finirait par tomber en désuétude et disparaître. On pouvait même élargir ce raisonnement et dire que l'homme, dans sa vie personnelle, quotidienne, devait s'adapter aux circonstances adverses afin de préserver son bonheur, sa tranquillité d'esprit et, dans les cas les plus extrêmes, tout bonnement sa raison. Grübbel n'était pas loin de croire que, pour certaines personnes aux nerfs fragiles ou à l'esprit vacillant, l'adaptation suprême au milieu, un milieu souvent anxiogène et donc insupportable, était de se réfugier dans un monde imaginaire afin de ne pas périr, que ce fût de leurs propres mains ou de celles des autres.

Grübbel respira l'air frais de la forêt avec une avidité dont il ne se rendit pas compte. Enfoui dans ses pensées, il monologuait, se posant une question et y répondant. Puis, il s'aperçut que cette introspection avait tout d'une analyse. Il s'immobilisa et regarda autour de lui. Il se demanda même si, quelque part caché derrière un arbre, Dieu ne l'épiait pas. Dieu, son patient... Il se mordit la lèvre inférieure en tentant de se rappeler s'il avait parlé à haute voix par inadvertance. D'un petit ricanement, il essaya de balayer sa confusion.

Tout autour de lui, il n'y avait qu'arbres dénudés, fougères flétries, feuilles mortes... La forêt automnale gisait dans une mort apparente qui n'était pourtant qu'un lourd sommeil jusqu'au printemps. Des rayons de soleil obliques, des branches sèches qui bougeaient en gémissant, quelque petit animal qui remuait dans un taillis, voilà pourquoi l'homme avait inventé Dieu : pour faire contrepoids à son ignorance, à son effroi devant ce qu'il ne pouvait expliquer : orage, tonnerre, tempête, mort... Dieu était né de la peur ancestrale, la peur primordiale. Mais la supercherie était enfin dévoilée et nulle divinité ne présidait plus aux phénomènes atmosphériques. Dieu n'était qu'un symbole, qu'une personnification puérile. Encore que le Dieu unique de l'Ancien Testament avait mis un certain temps à s'imposer dans l'imaginaire de l'homme, nota Grübbel. Les primitifs, comme encore de nos jours certaines tribus africaines, avaient d'abord été animistes. Ensuite, il y avait eu l'époque mythique, ah! la grande époque des mythes et des épopées, véritable miroir de l'âme humaine! Et enfin l'époque du monothéisme, maintenant répandu en Europe et en Amérique, ainsi que dans le monde arabe, mais encore loin de l'être quand on allait vers l'est, vers l'Inde et la Chine, sans parler de toutes ces îles du Pacifique. Ainsi, le concept de divinité avait-il évolué, assurant la survie de certaines civilisations... Jusqu'à ce siècle où Marx affirmait que la religion était l'opium du peuple, où Darwin avait ébranlé le socle de la Création, où Nietzsche avait proclamé la mort de Dieu! Pas étonnant que son patient eût en horreur ce siècle finissant. Était-ce donc que le règne de la Raison, grâce à la science, était enfin arrivé? Et Freud qui perçait jusqu'au mystère du rêve!

Grübbel se demanda alors de quel œil un homme primitif eût considéré la forêt où il se trouvait à l'instant. Sans doute eût-elle été pour lui pleine de présages et de signes. Chaque fourré, chaque taillis, chaque détour ombreux aurait recelé des mystères innommables. Là, cette clairière, celle-là même que Grübbel avait alors sous les yeux et où se tenait un chêne solitaire, le primitif en aurait fait un lieu de prédilection pour communiquer avec les esprits de la Nature! Oui, cet arbre-là, en d'autres temps, eût été l'Arbre de la Connaissance! Jardin d'Éden! Mais peut-être aussi quelque chose de plus lugubre, de plus sinistre... Car n'y avait-il pas quelque terreur insondable associée à l'arbre qui donnait, par son fruit, la connaissance du Bien et du Mal? Et le primitif, dans sa naïveté, aurait sans doute peuplé de toute une sarabande de créatures les bois et les rivières: farfadets, lutins, naïades et compagnie! La forêt comme lieu d'initiation. Mais il n'échappait pas à l'esprit de Grübbel que la forêt, dans toutes ces mythologies, était le symbole par excellence de la part cachée de l'homme. D'où la crainte: crainte de ce qu'elle pouvait révéler de lui-même et qu'il cherchait à dissimuler au plus profond de son âme. Car dans la forêt résident les peurs et les angoisses éternelles, les énigmes immémoriales, mais aussi leurs solutions... La forêt pouvait être perçue autant comme un sanctuaire où le sage ermite trouvait le repos que comme une dévoreuse où le promeneur égaré rencontrait la Mort.

Grübbel, après un frisson, eut un éclat de rire: allons! La forêt menait à Salomé von Pappenheim! Et Salomé était la Vie!

L'antre du dragon... La grotte de la fée...

Et Grübbel se souvint alors que sa première rencontre avec la jeune baronne avait eu lieu dans un cimetière.

Comment cela a eu lieu? Je marchais dans la forêt, triste et solitaire, comme toujours. Je l'ai trouvé qui se balançait à la branche d'un arbre dénudé. C'était l'automne, on eût dit un fruit noir et vénéneux... car il portait une redingote et un pantalon noirs. Sa figure était bleue et ses yeux exorbités. Qu'ai-je éprouvé? Voyons, docteur, que croyez-vous?! Bon, bon... d'accord, je vais vous le dire: de la haine. Une immense, une insurmontable vague de haine. Mais cette haine était autant dirigée contre lui, contre sa faiblesse, que contre celle qui l'avait poussé jusque-là. Contre elle et, naturellement, contre son amant. Mais ça, je ne l'ai pas réalisé sur le coup. C'est contre lui uniquement que je pouvais diriger ma rancœur. D'ailleurs, je me suis approché de lui et j'ai frappé son cadavre. Je l'ai martelé de coups de poings en criant les pires injures qu'un fils puisse adresser à son père. Et vous savez quoi, docteur? J'ai mordu sa main! Une morsure sauvage, animale, délirante! Je l'ai mordue jusqu'à en arracher un bout de chair! Jusqu'à en sectionner la phalange d'un doigt! Oui, docteur, j'ai mangé de ce fruit défendu qui rend semblable à Dieu! Ce fruit qui donne la Connaissance, un fruit gorgé d'amertume, et mes yeux, alors, se sont ouverts sur la Vérité. Sur la Vérité et la Cruauté. Ce jour-là, j'ai su ce que deviendrait ma vie, ce dont serait fait mon avenir. Peut-être n'était-ce qu'une connaissance imparfaite, mais dans ce brouillard luisait et germait la suite et je sus, du moins, que je venais de changer à jamais...

À propos du baron Ludwig von Pappenheim

La baronne Salomé von Pappenheim, une jeune veuve d'à peine trente ans, s'était installée au début de l'été 1899 dans l'une des nombreuses demeures que possédait en Allemagne feu son mari, le baron Ludwig von Pappenheim. Encore que le terme de veuve fût une concession faite aux circonstances. En effet, si le baron était bel et bien un «cher disparu», c'était dans le sens le plus strict du terme : Ludwig von Pappenheim n'était jamais revenu d'une expédition qu'il avait entreprise en Afrique du Nord.

Le baron était l'un de ces aristocrates fortunés et excentriques qui sont habituellement l'apanage de la *gentry* anglaise. Il aimait par-dessus tous les voyages, les meilleurs étant toujours les plus périlleux. C'était d'ailleurs pour cette raison qu'il ne s'était marié que sur le tard, à la fin de la trentaine, voulant le plus longtemps possible garder ses coudées franches, sa liberté de mouvement. Toute sa jeunesse, il l'avait audacieusement utilisée à se balader aux quatre coins du monde, s'amusant à faire de la contrebande à Shanghaï, naviguant sur le Yang Tsé Kiang, pillant des tombes dans la région d'Apamée en Syrie, parcourant en pirogue l'Amazone, allant chasser le lion et l'éléphant au Kenya et en Tanzanie, faisant de louches commerces du côté du Yémen, en mer Rouge, près des côtes de l'Éthiopie-Somalie. De sorte que les rumeurs les plus farfelues s'attachèrent à sa personne : on en faisait un héros mythique, un aventurier courageux, un scientifique amateur un peu fou, un bandit de grands chemins, un pirate cruel et sanguinaire et même un espion de l'Empereur. À quarante ans, il se décida enfin à se caser et épousa Salomé qu'il avait rencontrée quelques années plus tôt et avec qui il avait entretenu jusqu'alors une union assez libre, l'ayant installée dans un somptueux appartement à Berlin sur la Unter den Linden, ne retournant auprès d'elle qu'entre deux périples qui pouvaient durer des mois. Mais, un an après son mariage, année durant laquelle il était sagement demeuré auprès de sa femme à Berlin, le démon de l'aventure et des terres lointaines revint le tourmenter et il partit pour ne plus revenir. Salomé attendit un an et demi à Berlin, recevant parfois quelques lettres. Ce fut donc au cours de la deuxième année, sans nouvelles et évoquant de plus en plus la triste possibilité que son mari fût mort, que Salomé vint s'installer dans le manoir de S. que le baron n'utilisait presque pas, sauf pour y disposer les objets les plus hétéroclites, objets d'art autant que curiosités exotiques loufoques qu'il avait rapportés de ses multiples pérégrinations.

Et c'était vers la jeune veuve, vers Salomé von Pappenheim qu'allait à présent le docteur Grübbel. Vers Salomé qui s'amusait de son désir pour elle avec un sadisme raffiné et dont Hans Grübbel appréciait l'art aussi méthodique qu'inventif.

Cheminant ainsi dans la forêt, Grübbel se remémora leur première rencontre. Ou, plus exactement, la première fois qu'il aperçut la jeune baronne...

Souvenir d'une première rencontre. Midi au cimetière de S.

Cela avait eu lieu au cours de l'une de ces longues balades à pied qu'affectionnait tant le docteur Grübbel. C'était même le premier jour de l'été précédent, le 21 juin 1899, comme en faisait foi le journal personnel du médecin.

Ce matin du 21 juin, après son petit-déjeuner, Hans Grübbel s'était mis en route le cœur léger et le sourire aux lèvres. Le premier jour de l'été débutait avec l'entêtement de la vie qui veut surgir partout : dans l'herbe qui cherche à tout couvrir, dans les insectes qui travaillent avec obstination, dans le soleil qui inonde et aveugle jusqu'au vertige. C'est ainsi que Grübbel s'était aventuré sur diverses routes de campagne et sur des sentiers qui serpentaient dans la forêt encore fraîche à cette heure matinale. Tout en marchant, il avait songé à sa clinique qui, enfin, commençait à jouir d'une excellente réputation auprès d'une clientèle aristocratique et bourgeoise. Grübbel avait déjà eu quelques cas fort intéressants et il s'ingéniait à développer une méthode personnelle d'investigation psychologique. À l'époque de cette première rencontre avec la baronne, il venait justement de terminer le traitement d'un cas tout à fait captivant et dont il espérait publier le compte rendu dans une revue scientifique, bien que ce cas eût trouvé, hélas, sa conclusion dans la mort inopinée de la patiente, une jeune fille d'à peine vingt ans, tombée de la toiture du manoir où elle était grimpée suite à une crise de somnambulisme. Cette fin tragique avait été classée par les autorités comme un malheureux et inévitable accident. Bref, cela avait été somme toute un cas plutôt classique d'hystérie, et le docteur Grübbel ne se faisait aucun reproche du triste dénouement, bien que cet accident, selon lui, pût certainement s'interpréter comme un suicide imposé par la volonté inconsciente de la patiente.

Voilà donc à quoi songeait alors le docteur Grübbel lorsque vers midi il était arrivé aux abords de S., le village le plus proche de sa demeure. Un sentier secondaire menait au cimetière, de sorte qu'il était pour ainsi dire en pleine campagne, bien qu'à cinq minutes de S. qui ne comptait que quelques maisons et pavillons et une auberge à la réputation douteuse. Grübbel était en sueur et, lorsqu'il aperçut la grille ouverte du cimetière, il eut l'idée d'aller y chercher quelque fraîcheur en se reposant sous l'un des nombreux arbres dont il était planté. C'était la première fois qu'il s'y aventurait, bien qu'il fût installé dans la région depuis quatre ou cinq ans déjà. Il en avait donc franchi la grille d'entrée.

Il avait emprunté une allée ombragée et s'était mis en devoir de lire les épitaphes, s'amusant à faire de la généalogie avec les chers disparus. Puis, embrassant du regard l'ensemble du cimetière, il s'était souvenu d'un ami autrichien, en fait d'origine bulgare mais vivant à présent à Vienne, qui lui avait dit un jour que, lorsqu'il se promenait dans un cimetière, il éprouvait toujours un sentiment de victoire, comme si, disait-il, il avait battu en combat singulier chacun de ces morts : ils sont étendus là à vos pieds, impuissants, alors que vous êtes debout, immensément vivant.

Grübbel avait inspiré profondément et expiré avec satisfaction.

Midi comme une enclume.

Les pierres tombales blanches se détachaient de la verdure avec un éclat acéré. Cette blancheur gorgée de soleil ne pouvait se regarder bien longtemps. Elle avait fini par griffer les yeux de Grübbel et lui avait vrillé une douleur au front, comme lorsqu'on boit trop rapidement de l'eau très froide.

Il avait à nouveau songé à sa patiente tombée du toit. Les parents de la jeune fille, éplorés, étaient venus chercher le corps le lendemain de la tragédie, pour le ramener à Berlin. Le père avait proféré des mots inaudibles, la mère n'avait fait que pleurer et se moucher. Aucun d'eux n'avaient demandé d'explications à Grübbel, ils devaient croire au destin et aux desseins insondables de Dieu.

Midi. La lumière aveuglante. Le foret lancinant de la blancheur dans les yeux. La sueur s'était mise à couler sur ses tempes et le long de sa nuque. Midi. Jardin des morts. Il avait sorti un mouchoir pour s'éponger le visage. Il avait retiré sa veste et l'avait déposée sur son bras gauche replié. Pendant un moment, immobile dans l'allée, il avait écouté le bourdonnement des insectes pourtant invisibles. C'était à la fois doux et agaçant. Comme la vie passe vite, s'était-il dit. La mort rôde partout. Il avait alors cherché un arbre au tronc assez gros contre lequel en s'assoyant il put s'adosser. Sa gorge était sèche et il n'avait rien à boire. Ah! une bière bien fraîche! Il se reposerait un peu et irait boire ensuite un bock à l'auberge. Il avait mis l'auriculaire dans son oreille droite et l'avait agité furieusement. Le bourdonnement semblait venir autant de l'intérieur que de l'extérieur. C'était une espèce de crépitement, ou de crissement, comme des pas sur du gravier, parfois aussi comme un filet de voix trop lointaines pour distinguer les mots. Midi.

Il avait enfin trouvé son arbre et s'y était adossé. Il avait déposé sa veste sur l'herbe près de lui. De la poche de celle-ci dépassait un livre qu'il avait extirpé. Edgar Allan Poe. Il relisait pour la troisième fois le récit intitulé *La chute de la Maison Usher*. Il était toujours aussi fasciné à chaque lecture.

«Qu'était donc – je m'arrêtai pour y penser –, qu'était donc ce je ne sais quoi qui m'énervait ainsi en contemplant la Maison Usher? C'était un mystère tout à fait insoluble, et je ne pouvais pas lutter contre les pensées ténébreuses qui s'amoncelaient sur moi pendant que j'y réfléchissais. Je fus forcé de me rejeter dans cette conclusion peu satisfaisante, qu'il existe des combinaisons d'objets naturels très simples qui ont la puissance de nous affecter de cette sorte, et que l'analyse de cette puissance gît dans des considérations où nous perdrions pied.»

Le passage était souligné au crayon. Il y avait tant d'observations psychologiques à trouver chez Poe! L'auteur était-il conscient qu'il parsemait son ouvrage de trouvailles et de descriptions de malaises psychiques étonnants? Grübbel avait reposé le livre et fermé les yeux. Tout pouvait devenir symbole. Il suffisait de creuser. Chaque homme vit dans sa propre mythologie. Au sens commun, utilitaire, que tous emploient, s'ajoutait le sens mythique personnel. Ah! s'il écrivait un jour un récit, et en vérité il s'y employait déjà, combien ce récit serait chargé de sens! Sous la banale narration d'un fait a priori anodin se cacherait le sens obscur, mythologique, psychologique. Il y aurait fleur et fleur. Vent et vent. Mort et mort. Mais un lecteur attentif pourrait découvrir derrière les faits en apparence innocents, le sens profond et véridique. Ce lecteur serait alors émerveillé du génie de l'auteur, en l'occurrence lui, Hans Grübbel, de sa profonde connaissance de l'esprit humain. N'était-ce pas d'ailleurs ce qui l'avait impressionné chez Dostoïevski, en particulier dans *Les frères Karamazov*? Mais là, l'auteur donnait la clé, alors que lui, Grübbel, dans son récit, laisserait le lecteur jouer au détective. Le fin mot de l'énigme serait là, caché sous les apparences. Est-ce qu'un Conan Doyle, par exemple, que l'on pouvait supposer aguerri à la construction d'énigmes et que Grübbel lisait aussi avec beaucoup de plaisir, serait à même de découvrir la solution? Mais évidemment, son récit ne serait pas précisément un roman d'enquête. Quelque chose d'un autre ordre. Une énigme du cœur humain, avec toutes ces tortueuses routes qui embrouillent et défient l'analyse.

Il avait ouvert les yeux péniblement. Midi.
Ils sont tous morts. Ils en ont fini avec la vie. Qui donc a décidé que c'était la fin pour eux ? Dieu ? Il n'y a que moi de vivant ici. Pourquoi ? Comment se fait-il que l'un d'eux ne soit pas assis contre cet arbre et moi étendu là, à sa place ? Mon rôle était-il plus important que le sien ? Dois-je accomplir quelque chose ? Ici ? Maintenant ? Le seul être vivant ici ? Et pourtant...

Grübbel s'était relevé sur un genou en scrutant une allée, la dernière au fond près du muret de pierre qui délimitait le cimetière. Une tache blanche, aveuglante, se déplaçait comme si elle eût flotté, comme un nuage, comme si l'une de ces pierres tombales eût été soudainement douée de mobilité. Le cœur de Grübbel se mit à battre plus rapidement. L'apparition spectrale au milieu de ces tombes, en plein midi, l'avait stupéfié. Mais ses yeux s'habituant peu à peu à la blancheur meurtrière, il avait fini par distinguer une forme humaine : une femme dans une longue robe blanche. Il n'était donc pas le seul être vivant dans ce cimetière.

Grübbel s'était remis debout, avait enfilé son veston et décidé de faire quelques pas. Il était redevenu le promeneur insouciant, nonchalant, de tout à l'heure, du moins en apparence, car en vérité il était curieux et même fasciné par l'apparition de cette femme qui se trouvait avec lui dans le cimetière. Y était-elle par hasard ou dans un dessein précis ? Cherchait-elle une tombe ? Elle déambulait lentement, lisait des épitaphes, semblait s'absorber dans une profonde réflexion puis reprenait sa déambulation. Grübbel avait voulu faire en sorte de s'approcher d'elle. Il l'avait vue caresser une tombe, alors qu'elle était à une cinquantaine de pas de lui. Autant qu'il pouvait en juger à une telle distance, la jeune femme paraissait dans la vingtaine, très belle, distinguée et possédant une puissante chevelure brune ramenée en chignon sur le sommet de la tête.

Grübbel s'était encore rapproché de l'inconnue. Leurs regards s'étaient croisés et ils s'étaient salués de loin, elle d'un geste à peine perceptible, lui, plus appuyé. Puis elle s'était retournée et il avait assisté, déçu, à l'éloignement de la blancheur de la robe et de l'ombrelle. La jeune femme était disparue en franchissant la grille et il était demeuré seul, avec un étrange sentiment d'abandon lui transperçant la poitrine. Il avait cependant poursuivi son chemin en direction de la pierre tombale que l'inconnue avait effleurée de la main. Et plus il s'en approchait, plus le soleil semblait lui assener des coups implacables sur la tête et la nuque, faisant battre le sang à ses tempes et vrillant dans ses oreilles un bourdonnement lancinant. C'était en nage qu'il était enfin parvenu à la tombe. Sa vision en était brouillée et il avait soudain éprouvé un incontrôlable vertige, une nausée qu'il mettrait, plus tard, sur le compte de l'insolation. Il s'était accroupi près de la tombe, plié en deux par un haut-le-cœur et avait vomi. Il s'était essuyé la bouche avec son mouchoir puis relevé. Enfin, il avait jeté un coup d'œil à la pierre tombale dont il avait lu le nom avant de s'éloigner rapidement, bien décidé à aller boire une bière à l'auberge de S.

Le nom gravé sur la pierre était : LUDWIG GRÜBBEL.

Mais, naturellement, il ne connaissait pas cet homme qui portait le même patronyme que lui.

— Un bock de bière! Bien fraîche, la bière!

— Certainement, monsieur! Tout de suite!

L'aubergiste, un vieil homme sec et ridé, s'était dirigé vers le bar pour tirer la bière. La grande salle était déserte, fraîche et plongée dans une demi-obscurité apaisante. Les lattes de bois avaient craqué sous le poids pourtant menu du vieillard lorsqu'il était revenu avec un bock ruisselant et rempli à ras bord.

— Et voilà... une bière bien fraîche, monsieur. Désirez-vous manger? J'ai un bœuf aux carottes sur le feu...

Hans Grübbel avait hésité, redoutant que son estomac ne fût pas encore rétabli.

— Pas maintenant. Peut-être après la bière.

— Comme monsieur voudra...

Le vieillard allait s'éloigner, mais Hans Grübbel l'avait retenu avec une question.

— Dites-moi, cette auberge existe depuis longtemps?

— Ah! ça? Depuis des générations, monsieur! Moi-même j'ai pris la relève de mon père et ça ne date pas d'hier, comme vous pouvez vous en douter...

Le vieil aubergiste s'était fendu d'un sourire qui avait révélé trois ou quatre dents obstinées et noirâtres, plantées de travers sur des gencives enflées et putrides.

— Alors, dites-moi, puisque vous êtes du coin, il y a donc des Grübbel dans ce village?

— Grübbel... Grübbel... avait tenté de se remémorer le vieil homme en tapotant son front ridé et taché à l'aide de deux doigts squelettiques.

— J'ai aperçu une pierre tombale dans le cimetière avec ce nom.

— Ah! je vois... Ludwig Grübbel, non? L'industriel... Mais il n'y a plus de Grübbel ici depuis cette époque, je crois. C'était le dernier, m'est avis. Il est mort depuis au moins vingt ou trente ans, je ne sais plus. On l'a retrouvé pendu à un arbre dans la forêt, le pauvre!

— Pendu? Il s'est donc suicidé?

— Bah! C'est ce qu'on a raconté. Il habitait un manoir pas loin d'ici. Un homme très riche, ce Ludwig Grübbel. Vous pouvez encore voir les ruines de son manoir, je crois, si tout cela n'a pas été rasé. Je ne vais jamais de ce côté. Du moins pas depuis une dizaine d'années. Je bouge à peine d'ici. Trop occupé et trop vieux. Ça n'a l'air de rien, comme ça, en début d'après-midi, mais revenez boire un pot en soirée et vous verrez comme ça s'anime!

L'aubergiste avait eu un clin d'œil complice. Grübbel avait hoché la tête avec un sourire entendu.

— Des ruines, dites-vous?

— Oui, le manoir a brûlé, mais c'était après la mort de Herr Grübbel, un de mes bons clients d'ailleurs à l'époque... Je crois que sa femme, qui lui avait survécu, est morte dans l'incendie.

— Mais c'est horrible! s'était presque étranglé Hans Grübbel.

Puis il avait porté son auriculaire à l'une de ses oreilles où le bourdonnement était revenu l'agacer.

— La vie est ainsi faite, avait soupiré l'aubergiste en haussant les épaules.

Puis d'un air de conspirateur, il avait ajouté:

— Pourquoi ne resteriez-vous pas ce soir, monsieur? Il y aura de jolies créatures, vous savez, et pas du tout rétives... si votre gousset est un brin généreux.

Chez la baronne

Au manoir de la baronne Salomé von Pappenheim. Grübbel frappa trois coups vifs avec le heurtoir en forme de gueule de lion. Un domestique vint lui ouvrir.

— Si monsieur le docteur veut bien patienter au salon...

— Merci! Je connais le chemin!

Si Grübbel avait alors le ton sec de l'habitué de la maison, ce n'était pas par arrogance, mais plutôt à cause de son énervement. Car tout en marchant, il avait songé que son nouveau patient pouvait être une sorte de présent qu'il allait offrir à Salomé. En effet, la jeune baronne avait à plusieurs reprises exprimé le plus vif intérêt pour les travaux et les patients du docteur Grübbel. Ce dernier se doutait bien que l'intérêt manifeste de Salomé s'édifiait sur les bases d'une curiosité frivole, sinon malsaine, plutôt que sur un réel intérêt scientifique, mais il n'arrivait pas à lui en tenir rigueur. Salomé aimait la psychologie comme elle aimait les tables tournantes : par goût du frisson que procure l'insolite. Et bien que Grübbel en fût conscient, et qu'il était loin de considérer ses patients comme des attractions pour mondaines désœuvrées, il ne pouvait résister à l'idée de faire de celui-ci, Dieu, un sacrifice sur l'autel de son amour pour la jeune, belle et désirable Salomé von Pappenheim. En outre, de ce qu'il concluait de ses réflexions sur le cas de Dieu, il doutait fort que ce dernier fût réellement malade. Du moins ne voyait-il pas d'inconvénient à le présenter à la baronne. D'ailleurs, il trouverait bien le moyen de les mettre l'un en présence de l'autre sans que cela parût arrangé à l'avance. Mais il savait surtout, connaissant les penchants de Salomé pour tout ce qui relevait de l'inexplicable, de l'insolite, du mysticisme et de l'ésotérisme, qu'un pareil cas (un homme prétendant être Dieu!) éveillerait au plus haut point la curiosité de la jeune femme et qu'elle lui serait infiniment reconnaissante de l'associer, en quelque sorte, au processus thérapeutique. D'autant plus qu'il y avait toujours la possibilité que cet homme fût le docteur Freud dont elle venait de lire le livre sur les rêves.

En attendant Salomé, Grübbel évoqua en pensée leur deuxième rencontre qui avait eu lieu le lendemain de sa promenade au cimetière. Il prenait alors son repas du midi lorsque Klaus, son fidèle serviteur, était venu lui dire qu'il avait une visiteuse.

— De qui s'agit-il?

— Madame Salomé von Pappenheim, monsieur. Elle serait notre voisine depuis peu et aimerait faire votre connaissance. Une visite de courtoisie, monsieur.

— L'avez-vous fait entrer au salon, Klaus?

— Non, elle est dans la cour, à cheval, monsieur.

— À cheval?! s'étonna Grübbel.

— Oui, monsieur. Elle désire simplement vous saluer.

Puis, le vieux et maigre Klaus avait ajouté sur un ton confidentiel et un peu outré:

— J'ai insisté pour qu'elle daigne entrer, mais l'amazone ne veut point quitter sa monture ; un tempérament coriace, si j'ose dire...

— Merci, mon bon Klaus. Prévenez la baronne que j'arrive tout de suite.

Tout en maugréant, Grübbel avait essuyé les miettes de pain autour de sa bouche et posé le crayon avec lequel, tout en mangeant, il venait de prendre quelques notes pour son étude sur le somnambulisme. Que pouvait donc lui vouloir une vieille baronne ? Une visite de courtoisie ? C'était chose possible, mais le soupçon que cette visite pût être le prétexte à une demande de consultation s'était aussitôt imposé à lui. Il avait souvent eu à faire face à ce genre de demande déguisée, la plupart du temps provenant de mondaines qui répugnaient à avouer franchement leur mal-être et, bien souvent, il ne s'agissait que de vétilles, elles-mêmes prétextes à étaler leur narcissisme lamentable et ennuyant.

Or, quelle ne fut son agréable surprise de rencontrer dans la cour, sur son cheval, une jeune et charmante personne, tout sourire et resplendissante de joie de vivre. Mais ce qui le foudroya vraiment, ce fut le regard : la jeune femme avait les yeux d'un vert foncé intense ; l'acuité de son regard paraissait tout noter autour d'elle tant il semblait inquisiteur. Des yeux si particuliers et si mystérieusement émouvants que Grübbel s'était aussitôt senti perdre pied. Ces yeux semblaient appartenir à une princesse d'un lointain conte de fée. Mais autre chose le tiraillait : il avait l'impression d'avoir déjà rencontré cette femme.

— Madame...

C'était tout ce qu'il avait pu proférer tant sa gorge était serrée. Puis il avait pris conscience d'une certaine domination qu'il n'avait pas pour autant trouvée déplaisante : du haut de sa monture, elle baissait sur lui son regard tandis qu'il devait lever le sien vers elle. Elle avait cessé de sourire et ses sourcils s'étaient rapprochés en un froncement sévère, ce qui ajoutait à son regard une force significative, comme si elle lui avait adressé un reproche muet. Mais aussitôt qu'elle eut prononcé ses premiers mots, ses sourcils s'étaient radoucis, ses yeux s'étaient mis à pétiller et ses lèvres, qui un instant auparavant semblaient faire une moue désapprobatrice, s'étaient étirées sur deux rangées de dents éclatantes et régulières, un sourire qui avait fait bomber ses pommettes tout en révélant une grande bouche carnivore.

— Docteur Grübbel, j'ai pensé qu'il était de mon devoir de vous rendre une visite de courtoisie : je suis votre plus proche voisine et je viens tout juste de m'installer dans ma demeure.

Elle avait incliné délicieusement la tête, avec une pointe de coquetterie qui se voulait du charme. Le docteur Grübbel avait courbé le buste et répondu :

— Madame la baronne, mes hommages. Croyez que je suis honoré d'avoir une voisine telle que vous...

— Vous êtes trop bon, *Herr Doktor*...

Puis, ayant aperçu son palefrenier et homme à tout faire, Stefan, Grübbel l'avait apostrophé :

— Stefan ! Qu'attends-tu donc pour aider madame la baronne à descendre de cheval !

Stefan, un solide gaillard à la mine peu avenante, avait secoué la tête en grommelant.

— Ça ne sera pas nécessaire, s'empressa de répondre la baronne. Je ne faisais que passer pour vous saluer et vous inviter à prendre le thé, demain, à quatre heures. Si cela vous convient, bien sûr.

Il avait incliné la tête en signe d'assentiment. La baronne avait alors jeté un long regard sur la maison et clinique du docteur.

— Quelle curieuse demeure! s'était-elle exclamée. C'est un peu comme si j'y avais déjà habité dans une autre vie... Oui, elle me plaît beaucoup.

Elle avait eu un petit rire, un rire presque silencieux, très loin d'être candide. Puis elle avait regardé Grübbel avec une telle intensité que celui-ci en avait été décontenancé.

— Demain, quatre heures!

Cela avait sonné comme un ordre auquel il ne pouvait désobéir sans se condamner aux yeux de la baronne.

Elle avait alors fait tourner son cheval afin de ressortir de la cour et gagner la route. Grübbel avait hésité. Puis, précipitamment, il s'était écrié:

— Madame la baronne!

Elle s'était retournée en appuyant une main sur la croupe de sa monture.

— Oui, docteur?

— Est-ce que nous ne nous serions pas croisés hier au cimetière de S.?

— À demain, docteur!

Elle avait éperonné sa monture et s'en était allée, désinvolte et énigmatique.

Ainsi avait eu lieu cette deuxième rencontre: sous les auspices de l'ambiguïté. Car, tandis que la baronne s'éloignait, Hans Grübbel ne pouvait se décider à ne voir dans cet entretien qu'une simple visite de bon voisinage, mais plutôt, peut-être, une demande voilée de consultation ou, encore, une opération de charme, de séduction de la part d'une femme brûlant du désir d'ensorceler les hommes. Ce ne fut que peu à peu, au cours des autres rencontres qu'ils eurent régulièrement tout au long de cet été, que le docteur Grübbel put enfin se faire une idée plus précise : les trois possibilités n'en formaient qu'une.

La baronne était une mondaine névrosée qui aimait séduire et jouer à la veuve joyeuse, la veuve noire...

Par un drôle de hasard, le manoir de la baronne était assez semblable à celui du docteur, du moins dans la disposition des pièces, bien qu'elles n'eussent pas les mêmes fonctions. Mais la grande différence résidait surtout dans l'aménagement et la décoration. Le salon, par exemple, était une vaste pièce qui croulait sous les objets d'art et autres curiosités, souvenirs et photos, meubles et tissus exotiques, tapis de toutes provenances, que le baron Ludwig von Pappenheim avait rapportés de ses diverses aventures aux quatre coins du monde. Paravents chinois, fauteuils en bambou, coffres en teck, bustes de bouddhas en pierre, jetés brodés du Moyen-Orient disposés sur les sofas, vieux tapis persans et indiens au sol comme sur certains murs, antiquités européennes, tout cela cohabitait dans une lourdeur étourdissante, étouffante, feutrée. Pourtant, sur toute cette profusion d'objets et de meubles hétéroclites, reliés à la personne du baron, d'une façon étrange, il ne semblait planer pour Grübbel que le seul et unique parfum envoûtant de Salomé, Mitsouko... Tout de même, quel drôle de type avait dû être ce baron Ludwig von Pappenheim! Courir le monde, rassembler des objets dignes d'une grande collection et ne plus y prêter attention, poussé qu'il était d'aller à nouveau vers des contrées lointaines, sans plus se préoccuper de sa jeune et jolie épouse... Un cas finalement assez typique, se disait Grübbel: fuite devant ses responsabilités, refus puéril de l'engagement...

Salomé ne parlait que rarement de son mari et toujours avec un indéfinissable sourire, un sourire un peu rêveur sans doute, un peu nostalgique. Il était évident qu'elle l'avait beaucoup aimé et qu'elle avait vécu des moments mémorables avec lui. Malgré tout, elle concluait presque invariablement ses brèves réminiscences par une pointe d'agacement cynique, du genre: «Ah! lui et ses maudits voyages!» Aussi, Grübbel, autant par délicatesse que dans son propre intérêt, avait-il fini par ne plus jamais faire allusion au baron disparu.

Grübbel se dirigea vers la desserte où se trouvaient quelques carafes et, en véritable habitué des lieux, se servit un verre de cognac. Il porta le verre à la hauteur de ses yeux, eut un petit sourire et dit tout bas: «À ta santé, mon vieux Hans!» Il avala une gorgée et grogna de satisfaction.

Il venait à peine de se saisir d'une photo qui se trouvait sur un piano droit, photo sur laquelle on apercevait un groupe d'hommes debout derrière la masse impressionnante d'un lion couché, qu'on devinait avoir été tout juste abattu au cours d'un safari, lorsqu'il entendit des pas et le froufrou d'une robe de soie. Il remit prestement le cadre sur le piano et se retourna.

Salomé s'avançait à sa rencontre, les yeux interrogateurs, les lèvres lourdes comme un bouton de fleur sur le point d'éclore, la démarche souple et ondulante, presque vaporeuse. Elle lui tendit une main que Hans Grübbel serra et embrassa cérémonieusement.

— Cher Hans! Quelle bonne surprise vous me faites! Vous regardiez cette photo de Ludwig? Je suis justement là-haut à classer ses papiers et ses lettres. Bon Dieu! Où trouvait-il donc le temps d'écrire autant? Vous devriez voir ce fatras de notes et de réflexions! Et les lettres qu'il m'adressait! Juste ciel! Comme il m'aimait lorsqu'il était loin de moi! Quelle fougue! Quelle ardeur! Il faudra bien que je vous les montre un de ces jours afin que vous m'analysiez cet esprit tout de feu et de fièvre. Je suis certaine que la psychologie moderne y gagnerait beaucoup.

— Bah!... Un cas typique de fuite devant ses responsabilités, un refus puéril de l'engagement... fit Grübbel avec un dédain qu'il regretta aussitôt.

— Ah! lui et ses maudits voyages!

— Mais croyez que je suis à votre entière disposition, Salomé...

Depuis qu'ils étaient devenus familiers, au cours de l'été, c'était ainsi leur façon de communiquer: un mélange de badinage et de sous-entendus, chacun encourageant l'autre dans ses dispositions. Salomé se laissa choir dans un fauteuil en soupirant. Grübbel prit place sur une dure chaise chinoise devant la jeune baronne et but une nouvelle gorgée de son cognac.

— Je suis si fatiguée, Hans! Avez-vous pensé à mon médicament?

— Oui, bien sûr... Mais vous savez que vous devez être prudente avec celui-ci?

Il sortit de la poche de sa veste une petite fiole brune contenant une poudre blanche et la lui tendit. Elle la saisit entre le pouce et l'index et, tout en la faisant tourner entre ses doigts, l'observa avec délice.

— Cela me fait du bien à moi, Hans... La cocaïne me replace les esprits. Cette jolie poudre blanche fait fuir mes idées noires! Et vous savez très bien, cher docteur, que j'en fais un usage parcimonieux.

— Je vous fais confiance, Salomé! Mais il est tout de même de mon devoir de vous prévenir contre les abus.

— Cela vous va bien de me dire cela avec un verre de cognac à la main!

Sur cette pointe d'ironie amicale, elle déboucha la fiole et fit tomber un peu de poudre blanche dans le petit creux triangulaire entre le pouce et l'index de sa main gauche, à la manière des priseurs de tabac, et renifla le petit amas de cocaïne. Elle reboucha la fiole qu'elle alla nicher dans son corsage. Puis, les yeux à demi fermés, elle se cala dans son fauteuil pour savourer l'effet de la drogue qui la parcourait et l'apaisait. Lorsqu'elle rouvrit les yeux, ceux-ci étincelaient et leur couleur vert sombre semblait nager dans un lac de douce béatitude. Un mince sourire apparut sur ses lèvres, évanescent et solitaire.

— Alors, très cher docteur, que me vaut l'honneur de votre visite? Servez-moi un verre de sherry, voulez-vous?

Grübbel s'exécuta de bonne grâce.

— Mais vous savez bien que je n'ai nul besoin de prétexte pour venir vous rendre une petite visite... amorça-t-il en cherchant la bouteille de sherry parmi les autres.

Salomé émit un ricanement de connivence. Grübbel revint auprès d'elle et lui tendit un verre. Lorsqu'elle le saisit, il s'empara doucement de son poignet et murmura: «Ah! Salomé! Salomé!» Il allait s'agenouiller à ses pieds, peut-être lui enserrer la taille de ses bras, lorsqu'elle le repoussa avec amusement.

— Ne soyez pas si odieux... si... pressé! Assoyez-vous sagement devant moi.

Il embrassa tout de même les doigts qui tenaient le verre d'alcool, avec tendresse, et reprit sa place sur la chaise en face d'elle.

— En fait, dit-il, toujours théâtral, je suis venu pour vous offrir un petit divertissement.

Puis il fit une pause, affichant une mine énigmatique, tandis que la jeune femme émettait un gloussement enfantin.

— J'ai un nouveau patient, poursuivit-il. Un cas extrêmement curieux, à vrai dire... et qui devrait vous intéresser au plus haut point.

Il s'arrêta à nouveau pour faire languir Salomé. Celle-ci attendait la suite, piquée dans sa curiosité. Elle s'impatienta.

— Hans! Mais continuez donc! Pourquoi ce cas est-il si particulier?

Hans Grübbel s'esclaffa. Il but une gorgée de cognac avec une lenteur étudiée, fouilla dans ses poches et en sortit un étui contenant des cigarillos. Il en alluma un, toujours cérémonieux. Salomé tapa sur le sol du talon tout en riant.

— Hans Grübbel, je vous chasse de ma maison pour toujours si vous ne me dites dans la seconde qui est ce nouveau patient!

Le médecin souffla un nuage de fumée et prononça un seul mot :

— Dieu.

Le sourire disparut des lèvres de la baronne, remplacé par son habituelle moue.

— Dieu? répéta-t-elle. Que voulez-vous dire? Qu'est-ce que Dieu a à voir dans votre nouveau cas?

— Dieu EST mon nouveau patient...

— Cessez de vous moquer de moi, Hans!

— C'est pourtant simple et il n'y a aucune moquerie : mon nouveau patient n'est nul autre que Dieu en personne.

— Me prenez-vous pour une sotte? fit Salomé en imitant le ton d'une fillette agacée.

Grübbel était assez content de son petit effet. Mais il reprit, cette fois sérieux :

— Il séjourne chez moi un patient, un homme (du moins il en a toutes les apparences) qui prétend être Dieu. Il n'en démord pas! Un cas peu banal de délire mystique. Quoique, à bien y songer, il ne s'agisse peut-être pas de cela, enfin, pas exactement.

Salomé ouvrit de grands yeux étonnés.

— Dieu? Il prétend être Dieu? Mais pourquoi vient-il vous consulter alors?

— Il dit être dans un état dépressif.

— Ah! Il reconnaît donc qu'il n'est pas véritablement Dieu, que cette prétention n'est due qu'à son état morbide?

— Justement, non. Et c'est bien là d'ailleurs toute l'étrangeté du cas. Il affirme être Dieu souffrant d'une obscure maladie nerveuse...

— Comme c'est passionnant! s'exclama Salomé. Et comment est-il, cet homme?

— Eh bien, une partie du problème réside là. Je veux dire, dans son apparence physique. Il ressemble étonnamment à l'un de mes confrères. Un confrère que vous connaissez, d'ailleurs, du moins par l'un de ses ouvrages que vous venez de lire : Sigmund Freud.

La baronne haussa les sourcils.

— Vous voulez dire qu'il ressemble au docteur Freud?

— Pour autant que je puisse me souvenir de lui et des photos que j'ai pu voir. Vous savez que nous nous sommes connus autrefois à Paris, à l'hôpital de la Salpêtrière où nous faisions un stage tous les deux, il y a bien quinze ans de cela, oui... en 85 ou 86... Nous nous intéressions beaucoup aux enseignements de notre maître, le professeur Charcot, sur l'hystérie et l'hypnotisme. Je me souviens que Freud avait écrit un opuscule sur la cocaïne justement, dont il usait lui-même, et maintenant ce livre sur les rêves...

— Et vous croyez que votre nouveau patient qui prétend être Dieu pourrait en réalité être Freud?

— Je ne sais pas. Ce n'est qu'une possibilité. Et pourtant, cela me semble d'une telle incongruité! Imaginez! Freud devenu fou! Freud se prenant pour Dieu! Vous voyez le scandale que cela pourrait provoquer?

La baronne étouffa un rire.

— Je n'arrive pas à y croire! Freud dans votre clinique, et qui se prend pour Dieu! Mais ne dit-on pas que le génie côtoie la folie?

— Soyons prudents, Salomé! Il ne s'agit peut-être pas de Freud.

— Mais enfin, que dit-il?

— Pour l'instant, si j'ai bien compris, l'homme dit qu'il est Dieu et fou. Et que sa crise de démence serait à l'origine de la Création... Ou que la Création n'est peut-être qu'une chimère de son esprit malade.

Salomé von Pappenheim renifla. D'une voix étranglée, elle dit:

— Je veux le voir.

— Je ne sais pas si je...

Et ce fut elle qui se jeta aux pieds de Grübbel. Elle posa ses mains sur les cuisses du médecin, des mains qui remontèrent jusqu'à la braguette.

— Salomé... souffla Grübbel.

— Attendez...

Elle ressortit de son corsage la petite fiole, du bout de l'ongle extirpa un peu de poudre qu'elle prisa. Et sa bouche sanglante alla à la rencontre du sexe de Hans Grübbel.

Extraits du journal du docteur Grübbel

1ᵉʳ décembre 1899
  Je suis un être faible. Faible et mesquin. Égoïste. Je vais faire de mon patient un instrument de ma passion. Le pire étant sans doute que j'en suis parfaitement conscient et que je n'y oppose aucune résistance. La passion que j'éprouve pour Salomé ne souffre aucun obstacle, et tout ce qui peut me grandir et me rendre intéressant à ses yeux, fût-ce au détriment de la morale la plus élémentaire, je l'exécute comme si j'étais sous l'emprise d'une drogue ou d'un sort, car cette femme réduit ma droiture et ma volonté à néant.
  Je suis revenu ici d'assez fâcheuse humeur, trop conscient de ma petitesse (et sans doute frustré parce qu'elle n'a pas été... enfin, qu'elle ne m'a agacé que pour me soutirer une promesse, elle-même promettant de terminer la tâche qu'elle avait entreprise une fois qu'elle aurait rencontré Dieu... Je me comprends. Inutile de fournir ici ce genre de détails). J'ai alors voulu voir immédiatement mon patient, mais il n'était pas là. Klaus m'a appris qu'il était allé à S. Il n'est toujours pas revenu, il est huit heures et je vais donc me mettre à table. Il est vrai qu'il n'est pas prisonnier ici et je ne peux évidemment pas le retenir contre son gré. A-t-il seulement l'intention de revenir ? Et que peut-il être allé

faire à S., cette petite bourgade sans importance? Peut-être a-t-il décidé de manger à l'auberge? À moins qu'il n'ait pris le train pour Berlin où il passera la soirée, voire la nuit...

Je ne sais plus quoi penser de ce cas. Il est tout à fait imprévisible. Mais je penche de plus en plus pour une machination, une mauvaise plaisanterie au mieux. Pourquoi cet homme est-il venu me narguer? Ce n'est pas le guérir qu'il me faut faire, c'est le démasquer!

Et n'ai-je pas agi inconsidérément en promettant à Salomé de le lui faire rencontrer? Car je la connais trop bien pour ne pas savoir qu'elle va s'intéresser à lui d'une manière morbide, et je sens que celui-ci va tout faire pour la séduire, autant de façon intellectuelle que... Alors, pourquoi me prêter à cette comédie macabre? Pourquoi m'exposer à devenir la victime dans ce jeu de massacre?

Relecture de Poe, La chute de la Maison Usher. Autre passage intéressant: «Moi j'entends, et j'ai entendu pendant bien longtemps — longtemps, bien longtemps, bien des minutes, bien des heures, bien des jours, j'ai entendu — mais je n'osais pas — eh! pitié pour moi, misérable infortuné que je suis! —, je n'osais pas — je n'osais pas parler! Nous l'avons mise vivante dans la tombe!»

Deux réflexions me viennent. L'une, professionnelle: tous les patients ont une résistance à parler, bien qu'ils sachent qu'ils devraient le faire. L'autre, plus triviale: n'avait-il pas comme moi des problèmes d'audition?

Du rêve et des chimères

Contre toute attente, le patient de Grübbel revint alors que le médecin s'attablait pour souper. C'était Klaus qui était venu le prévenir.

— Priez-le donc de venir partager mon repas, Klaus.

Le majordome ajouta donc un couvert et le patient vint rejoindre Hans Grübbel dans la salle à manger.

Grübbel avait alors retrouvé tout son aplomb, un moment ébranlé à la suite de sa rencontre avec la baronne von Pappenheim et sa promesse de lui présenter bientôt son patient. Curieusement même, il était enchanté de pouvoir souper en compagnie de celui-ci. Il croyait que des circonstances aussi inhabituelles pour une analyse pourraient avoir un effet bénéfique sur les possibles confessions de l'homme. Et ce dernier paraissait en assez bonnes dispositions pour une conversation franche et profonde, le vin aidant. Il serra virilement la main de Grübbel en le remerciant de l'invitation et prit place en face de lui. Grübbel leva sa coupe et porta un toast à la santé de son patient et celui-ci lui retourna la politesse.

— Vous avez fait une promenade? s'enquit Grübbel.

— Oui, j'ai marché jusqu'à S. et j'ai passé une heure ou deux à l'auberge où j'ai bu quelques bières en écrivant...

Grübbel se montra très intéressé :

— Ah ! Vous écrivez donc ?

— Bah !... Des réflexions sans grande importance, voulut minimiser le patient.

— Mais ne dites pas cela, c'est une noble activité que l'écriture !

— Oui, sans doute, mais je ne cherche rien de précis en écrivant, sinon me délester un peu la conscience...

— Je peux comprendre, affirma Grübbel avec empathie.

Puis, en mastiquant pensivement une bouchée, il se souvint d'une question qu'il voulait poser à son patient depuis la veille :

— Dites-moi, hier soir vous avez fait allusion à Edgar Allan Poe. Vous avez dit : « On se croirait dans l'une des affabulations de cet auteur américain que vous affectionnez tant. » Comment le saviez-vous ?

L'homme se redressa sur sa chaise et afficha un sourire resplendissant. Il prit une gorgée de vin sans quitter Grübbel des yeux et répondit :

— Je me demandais si vous l'aviez remarqué ! Naturellement, je pourrais vous répondre que c'est dans ma nature de tout savoir, mais cela ne vous satisferait pas, n'ai-je pas raison ?

Grübbel opina du menton et suggéra :

— À moins que vous ne me connaissiez par l'entremise de quelque personne. Je ne cache pas mon enthousiasme pour cet auteur et j'ai même écrit une étude sur lui dans une revue spécialisée.

— *Le sentiment de la perversité chez Poe.* Brillant exposé !

— Ah! Voilà la véritable réponse à ma question! Vous voyez bien qu'il n'y avait pas lieu d'en donner une explication surnaturelle... Si je puis me permettre, qu'avez-vous pensé de mon article?

— Très astucieux, si je peux m'exprimer ainsi. Finement observé, en tout cas. En fait, vous vous intéressez de près à quelque chose qui nous concerne tous les deux.

— Je vous en prie, élaborez... le convia Grübbel tout à fait pris au piège de la curiosité et de l'amour-propre.

— Comment dire... débuta l'homme en se grattant l'occiput. Poe, selon vous, se met en scène dans des situations morbides qui sont sa réalité, mais altérée par un sentiment de masochisme, également par une irrésistible envie de se dévoiler, de dire haut et fort sa culpabilité. Or, quelle culpabilité? Qu'est-ce qui le tracasse ainsi? Bref, sous le couvert d'un récit fantastique, il met en scène des sentiments psychologiquement intenses et déstabilisants, en quelque sorte, du moins je le suppose, pour se délester la conscience... Il s'agit donc d'une création perverse, il invente des chimères pour mieux souffrir, pour se flageller et, paradoxalement, en espérant calmer son cœur torturé. Or, je suis persuadé que vous croyez que je vis moi-même dans une construction chimérique. Pour vous, je ne suis qu'un simple mortel qui croit être Dieu. C'est bien ce que vous pensez, n'est-ce pas?

— Admettons. Continuez.

— Ce qui revient à dire que, pour vous, Dieu est une chimère. Une chimère qui vit dans une chimère... Vous me suivez?

— Je crains que non... Vous me perdez, je vous prie de m'excuser.

— Et si je n'étais que cela, une chimère?

Grübbel fronça les sourcils en tentant de comprendre ce que voulait dire son patient.

—Attendez, fit-il, n'êtes-vous pas en train de m'avouer que vous n'êtes pas Dieu? Enfin, que vous ne pouvez pas l'être car Dieu n'est qu'une chimère.

— Pas précisément. Mais cela devrait vous mettre la puce à l'oreille.

Grübbel s'impatienta.

— Allons! Dites-moi donc franchement ce que vous sous-entendez alors…

— Que je suis votre chimère, docteur…

Grübbel s'esclaffa dans sa serviette de table et répondit:

— Encore une fois, monsieur, vous cherchez à me faire jouer le rôle du patient. Je trouve cela assez significatif à vrai dire.

— Oh! Vous auriez pu dire le rôle du fou! Je ne suis pas si ombrageux… Mais j'ajoute, pour que vous ne soyez pas en reste, que vous êtes également ma chimère.

— Tiens donc! Mais, bien entendu, cela ne relève pas chez vous d'un comportement morbide, car c'est votre rôle de créer… et de me créer moi, réel ou non, comme un personnage de roman… comme le fait Poe!

— Certainement! Et voilà une excellente comparaison, maintes fois soulignée: l'auteur est un dieu, il donne vie à des personnages. Ces personnages vivent leur vie dans un monde qui a sa réalité ailleurs qu'ici et pourtant, ce monde existe en nous. Nous acceptons cette réalité fictive, nous en discutons, nous lui trouvons des mérites et des lacunes et nous en faisons même des articles.

Grübbel posa les coudes sur la table pour mieux réfléchir. Il constata alors une nouvelle transformation chez son patient : après s'être rasé, voici que ce dernier ne portait plus ses lunettes rondes, de sorte que la ressemblance avec Freud était encore plus réduite. Et pourtant, ce visage lui était toujours familier. Puis, reprenant le fil de la conversation, Grübbel ajouta :

— Et Dieu qui écrit, qu'est-ce que cela donne ? Pourquoi se donner cette peine ? Son écriture n'est-elle pas plutôt sa volonté ? Dieu veut un personnage ? Il le crée et voilà tout ! Le personnage existe ! D'ailleurs, ne dit-on pas que vous êtes l'Auteur du monde ?

Grübbel pinça les lèvres de plaisir et de fierté pour sa répartie qu'il jugeait tout à fait spirituelle.

— Hum ! Bien dit, cher docteur... Et vous ? Vous écrivez sûrement. Tous ceux qui aiment passionnément la littérature finissent par s'essayer à ce petit jeu de l'écriture, non ?

— Pas de doute, oui, vous êtes quelqu'un de perspicace... En effet, j'écris un roman.

— Est-ce que vous vous mettez en scène ?

— Tout auteur ne fait que cela, à son insu ou non. Mais ce n'est pas mon objectif principal, voyez-vous. Je ne suis pas narcissique au point de me prendre comme modèle pour l'un de mes personnages !

— Où donc serait le narcissisme en cela ? Mais peu importe, ce que je retiens, c'est que vous créez et, alors, cela fait de vous un dieu...

— C'est une façon de voir les choses. Mais croyez-moi : je ne cherche pas du tout à vous priver de ce privilège unique.

Les deux hommes rirent de bon cœur. On ouvrit une deuxième bouteille de vin et il y eut un nouvel échange d'amabilités.

— À vos chimères! lança le patient.

— Aux vôtres! répondit Grübbel.

Nous avons tous besoin de chimères, songea Grübbel. Et c'est ce qu'il se mit à élaborer à l'intention de son patient. Nul besoin d'être *fou* pour cela, expliqua-t-il. Au contraire, certaines constructions chimériques peuvent s'avérer de solides remparts contre la dépression nerveuse; elles sont à la base même d'une bonne hygiène mentale. D'ailleurs, les rêves eux-mêmes, ceux que l'on fait dans le sommeil, ne sont-ils pas la preuve qu'il n'y a nul besoin d'être malade pour échafauder des affabulations qui paraissent déraisonnables, mais qui ont à coup sûr un rôle extrêment important à jouer dans une vie psychique normale? Et sans ce désir de rêver, même éveillé, que serait alors l'homme? Car c'était grâce à la puissance de ses rêves qu'il pouvait évoluer et grandir, bref progresser. Sans l'imagination, il ne pouvait y avoir de progrès pour l'humanité. Certes, il y avait des tempéraments qui pouvaient s'avérer trop imaginatifs et cela pouvait conduire à un certain refus pathologique de la réalité. C'est ainsi que parfois les chimères prenaient le dessus sur le monde réel. Il fallait faire en sorte d'*éveiller* ces personnes, tout comme un véritable dormeur, et les mettre face à leur supercherie, bien souvent involontaire. En fait, il s'agissait dans bien des cas d'un mécanisme de défense, ce qui pouvait très bien être remplacé par une plus juste appréhension de la réalité, cela à l'aide de diverses ressources puisées chez le patient lui-même, etc.

— Mais alors, qu'en est-il selon vous des rêves nocturnes chez un patient psychiquement troublé ? Croyez-vous qu'ils peuvent être cohérents et raisonnables, alors que son état de veille est pour lui une confrontation de tous les instants avec un monde qu'il juge incohérent et même angoissant dans son étrangeté ? Je veux dire, le dormeur sain d'esprit fait des rêves illogiques, alors le malade mental fait-il des rêves d'une construction à la logique implacable ?

— Ah ! La question ! Peu étudiée, malheureusement. Mais n'est-ce pas Kant qui dit : *Le fou est un dormeur éveillé* ?

Le patient de Grübbel hocha la tête, abondant dans le sens du médecin. Après sa longue tirade qui devait sans doute ses ailes au riesling, Grübbel était parti d'un grand éclat de rire plein d'indulgence pour son enthousiasme. Laissant passer l'hilarité du médecin, le patient conclut :

— Vous voyez que j'avais bien raison de vous choisir comme médecin. Maintenant, je crois que vous devez commencer à comprendre pourquoi je suis ici...

Et ce fut sur cette dernière réplique, dite sur un ton plaisamment énigmatique, qu'avaient pris fin leur repas et leur conversation.

Insomnie (1)

Ce soir du premier décembre 1899, un peu avant
minuit, Hans Grübbel ne trouva pas facilement le sommeil. Il se trouvait dans son lit, les mains derrière la
nuque et le regard fixé au plafond. Il y avait près d'une
heure qu'il se tournait d'un côté et de l'autre sans pouvoir
sombrer dans le sommeil. Le vin, sans doute. Ou ce repas
un peu trop lourd et trop tardif. La conversation avec
son patient? Allons! En quoi cette conversation aurait-
elle pu le troubler au point d'en perdre le sommeil?
Balivernes! Il est vrai que cette conversation avait été
des plus intéressantes, s'avouait-il tout de même, et il
l'avait notée, presque mot pour mot, dans son journal
personnel avant de se coucher. Ah! C'était sans doute là
la cause de son insomnie : écrire sur des sujets complexes
de nature à stimuler l'intellect débouchait presque invariablement sur la difficulté à dormir. Le cerveau était
alors, et demeurait, en alerte ; il n'arrivait plus à se mettre
en mode repos. Ainsi, Grübbel poursuivait, ressassait
serait plus exact, les arguments et les réflexions qu'il
avait auparavant couchés sur le papier. Et ici, dans son
lit, cela revenait à dire qu'il se rejouait encore et encore
toute la conversation avec son patient, cherchant les mots

précis employés, le ton exact exprimé. Cette discussion l'avait tellement passionné qu'il en avait oublié qu'elle se déroulait avec un patient. Il avait plutôt eu l'impression d'être dans une soirée mondaine où il aurait rencontré un homme cultivé, raffiné et spirituel qui partageait les mêmes préoccupations intellectuelles que lui.

Or, plus il y réfléchissait, plus une évidence s'imposait : cet homme n'était pas Freud. Depuis qu'il s'était rasé et ne portait plus ses lunettes, il était devenu pour ainsi dire anonyme. Un homme parmi tant d'autres. Non. Pas exactement. Grübbel soupira en admettant que cet individu dégageait un certain charisme. Cependant, la source de ce charisme, Grübbel était bien en peine de se l'expliquer. Cela le mettait mal à l'aise. Et puis, ce malaise ne pouvait-il pas venir de la dernière réplique de son patient («Maintenant vous devez commencer à comprendre pourquoi je suis ici...») qui laissait entendre qu'il y avait une raison à sa présence dans la clinique de Grübbel, mais comme une raison supérieure et bien éloignée de la simple recherche d'un traitement médical. Alors, quel était donc son but qu'il ne voulait pas révéler ? Et pourquoi semblait-il espérer que Grübbel le devina ? En fait, et toute l'énigme reposait là, pour-quoi jouait-on de la sorte au chat et à la souris ?

Certes, cet homme avait une carte dans sa manche. Et, somme toute, peut-être n'était-il qu'un provocateur. Il est certainement malade, mais il sait qu'il n'est pas réellement Dieu. Il a simplement un immense désir de mettre au défi un médecin, et le hasard a voulu que ce médecin, ce soit moi. Il cherche à prouver sa grande supériorité intellectuelle en semant le doute, en jouant à se déguiser en Freud, en inventant toutes sortes de fables pour confondre son médecin et lui prouver qu'il est le plus fort. Il a lu mon article sur Poe, et c'est peut-être à ce moment qu'il a façonné sa piètre comédie. Au fond, c'est un jaloux maladif. D'ailleurs, il dit écrire lui-même. Ah! il faut fouiller de ce côté... Un jaloux et un vaniteux pathologique! Un être machiavélique, mesquin, frustré, oui, il faut que j'explore cette facette de l'homme, il y a de bonnes chances que je trouve sa faiblesse et la mienne, ô Salomé si tu savais comme tu me brises le cœur et combien je suis prêt à toutes les vilenies pour espérer un moment de bonheur jouissance fusion les ténèbres tais-toi tu vois que je ne te veux aucun mal silence ferme-là et adieu hé hé au moins je peux imaginer et même mettre en scène je suis un...

Sommeil.

Ah! vous avez remarqué! En effet, je me suis rasé et je ne porte plus mes lunettes rondes. Cet accoutrement n'était qu'une bête plaisanterie. Mais avez-vous deviné laquelle? Non? Ça alors! Ou vous êtes un piètre observateur, ou je n'ai aucun talent dans l'art du déguisement. Je jouais à vous ressembler. Peut-être n'était-ce pas aussi frappant que je le croyais. Pourquoi vouloir vous ressembler? Hum! C'est complexe. Il n'y a pas qu'une seule raison, voyez-vous. Mais je sais que cela date de mon exil à Londres. D'abord, mais ce n'est qu'une supputation, à cause de mes lectures de Conan Doyle: j'adorais, et j'adore toujours, ses récits de Sherlock Holmes. Vous aussi? Je n'en suis pas surpris. Or, Sherlock Holmes est un as du déguisement! Cependant, le détective emploie ce stratagème pour infiltrer certains milieux et faire progresser son enquête. En ce qui me concernait, durant mon séjour à Londres, il s'agissait de tout autre chose. J'aimais passer pour un notable, pour un homme respectable, bref un médecin. Comme vous, en l'occurrence. Ou quelqu'un ayant votre prestance, votre aura de respectabilité. Vous m'aviez tellement impressionné à Paris! Ne faites donc pas le modeste! Je vous assure: vous avez un certain charisme, c'est indubitable. Il émane de vous une bonne dose d'assurance, mais sans fatuité. Une assurance réconfortante pour celui qui est en votre présence. On se sent à la fois fragile et protégé. Si! Si! Mais l'habit ne fait pas le moine, comme on dit, et vous ressembler physiquement ne donne pas vos hautes qualités morales. En réalité, je ne me suis pas rendu compte immédiatement que j'essayais de vous ressembler. Ce n'est qu'un soir, à Londres, alors que je m'apprêtais à sortir et que je vérifiais ma mise devant un miroir que j'ai remarqué ma barbe et mes lunettes. Je me suis mis à rire et j'ai lancé tout haut: «Tiens donc! J'ai adopté le style de mon ami, mon compatriote rencontré à Paris l'année dernière... Étrange! Étrange et comique!» Puis, j'ai forcé la ressemblance. Je me suis souvenu des vêtements que vous portiez, des cigares que vous fumiez, des cravates que vous aviez autour du cou et je me suis donc créé une garde-robe qui aurait pu, selon moi, être la vôtre. J'ai adopté votre style! Voyez cela comme un hommage, docteur. Mais cette ressemblance voulue, je l'ai abandonnée lors de mon périple autour du monde. Ce n'est qu'en revenant ici que je m'en suis souvenu et qu'à nouveau je l'ai empruntée. Jusqu'à notre rencontre ici. Je voulais voir votre réaction, la réaction d'un homme qui se trouve face à lui-même. Ce fut raté, alors je me suis rasé et j'ai rangé les lunettes au fond d'un tiroir. Mais il est vrai que bien souvent, devant un miroir, nous avons l'impression d'être devant un étranger... N'est-ce pas curieux?

DEUXIÈME PARTIE

Une voix ou deux

Le lendemain de leur conversation sur les chimères, le docteur Grübbel, en fin de matinée, alla se promener du côté des pavillons particuliers. Ceux-ci se trouvaient derrière le manoir, dans un sous-bois plus ou moins dompté, ombrageux et frais, ce qui était une bénédiction à la saison chaude. Ce matin du deux décembre 1899, cependant, le mercure avait considérablement chuté et se maintenait à peine quelques degrés au-dessus du point de congélation. Mais même en automne ou en hiver, ces trois pavillons particuliers conservaient un charme rustique, chacun étant isolé des autres et formant une retraite, un ermitage intime et confortable. Deux de ces pavillons étaient de dimensions modestes et comportaient une chambre et une petite pièce faisant office de salon, meublée d'une table où l'on pouvait prendre son repas. Le troisième pavillon, où logeait le patient actuel de Grübbel, était beaucoup plus spacieux, c'était en quelque sorte une maisonnette comprenant une chambre à coucher, un grand salon avec un coin salle à manger et une pièce plus petite faisant tout à la fois office de bureau, de boudoir et de salle de lecture. Ce pavillon était meublé avec raffinement, la vaisselle en porcelaine de Saxe était impeccable, la bibliothèque du bureau, bien garnie, comprenait les grands classiques de la littérature universelle dans de précieuses reliures en cuir ; le meuble à liqueurs du salon était toujours bien approvisionné. Le patient qui décidait de loger dans ce pavillon était donc comme chez lui, il pouvait y recevoir des visiteurs et se consacrer à son travail ou à ses loisirs. Il était même arrivé que plusieurs patients y apportent leur matériel d'artiste, d'autres le nécessaire pour la confection d'un herbier, d'autres encore l'attirail de l'entomologiste amateur. Un compositeur célèbre y avait écrit des pièces et un poète non moins célèbre y avait couché sur papier des poèmes à présent connus de tous. Grübbel n'avait aucune objection à ce que ses patients poursuivent leurs activités coutumières et professionnelles. Après tout, la vie doit suivre son cours entre les séances d'analyse et même si, en général, ceux qui venaient pour de longs séjours (deux, voire trois semaines) le faisaient dans l'idée d'une cure intensive, Grübbel tentait d'espacer ses séances d'au moins une journée. Il voulait donner au patient, entre deux rencontres, le temps de digérer cette folle aventure intérieure, le temps de réfléchir à ce qui s'était dit. De sorte que, quarante-huit heures plus tard, le patient revenait gonflé d'enthousiasme, confiant, avec des idées nouvelles, des souvenirs revenus à la surface, des réflexions nées du mijotement cérébral qu'apportait la pause entre deux séances.

Ainsi en allait-il de son nouveau patient. La veille, lorsqu'ils s'étaient séparés, ils n'avaient pas convenu d'un nouveau rendez-vous et Grübbel, le lendemain matin, lorsqu'il avait décidé d'aller du côté des pavillons particuliers, s'était donné bonne conscience en se disant que s'il rencontrait son patient, il aurait l'excuse d'être venu pour le convier à une nouvelle séance le lendemain matin à dix heures.

Tout était calme lorsqu'il arriva à proximité du pavillon. Son patient dormait-il donc encore en cette fin de matinée? Lisait-il ou écrivait-il dans le bureau? Était-il parti faire une promenade? Grübbel s'approcha de la porte, non pour y frapper, mais dans l'intention peu honorable d'y coller son oreille et d'écouter. Certes, il éprouvait un certain embarras d'agir ainsi, mais il eut vite fait de se disculper en se disant qu'après tout, en tant que médecin, il avait le devoir, par tous les moyens, de s'assurer du bien-être de ses patients. Loin d'être de l'indiscrétion, son geste ne faisait que démontrer son professionnalisme, son empathie envers ceux qui souffraient. Quelle ne fut pas sa surprise, alors, d'entendre une voix à l'intérieur du pavillon. Il crut d'abord que son patient avait un visiteur. Cependant, en se concentrant pour mieux entendre, il reconnut la voix de son patient. Mais ne devait-il pas, en toute logique, s'adresser à une autre personne, à quelqu'un venu le visiter? Un visiteur ou une visiteuse? Il songea aussitôt à Salomé. Elle était si aiguillonnée par la curiosité qu'elle n'avait pu attendre qu'il lui présente lui-même son patient si peu ordinaire et était venue de son propre chef faire sa connaissance, subodora Grübbel. Il comprit que ce qu'il éprouvait alors, en émettant cette hypothèse, était de la jalousie. On eût dit que quelqu'un, bête ou homme, venait de lui enfoncer ses crocs dans la poitrine. Au même moment, le sifflement dans ses oreilles se fit plus agaçant. Et pourtant, il ne s'agissait que d'une supputation, mais il en savoura toute la cruauté et la douleur. Il devait cependant se rendre à l'évidence : personne ne répondait à son patient. Celui-ci s'était-il donc lancé dans un monologue que l'autre subissait sans pouvoir placer un mot, ou bien son patient parlait-il seul à haute voix ? Les moments de silence entre les répliques laissaient en effet supposer que l'homme se parlait à lui-même, ce qui sembla à Grübbel, tout compte fait, la plus plausible des hypothèses.

Le médecin colla encore plus fermement son oreille à la porte pour tenter de capter des mots ou des phrases. Ce n'était guère possible. Il n'entendait, ici et là, qu'un mot isolé, un mot qui, hors contexte, n'offrait pas la possibilité de comprendre la teneur du discours général. Il avait du moins entendu distinctement les mots « comprendre », « miroir » et « conscience ». Puis le patient haussa le ton, comme s'il devenait furieux, ou du moins irrité. Cela parut à Grübbel très étrange, car un tel comportement était anormal ou dénotait du moins une grande tension nerveuse. Se parler à haute voix n'était certes pas un indice de folie, chacun le faisait lorsqu'il se trouvait seul dans son intimité, mais parler seul à haute voix avec une certaine agressivité, voilà qui était peu commun.

« Je t'ai dit qu'il était à moi ! » entendit-il alors très nettement tant la réplique avait été proférée avec fureur. Grübbel fut stupéfait par la réplique suivante : « Il n'est à personne ! Il appartiendra à celui qui saura le séduire ! » Or, les deux répliques avaient été prononcées par une seule et même voix, celle de son patient. Il posait les questions et y répondait comme s'il avait été composé de deux entités distinctes, distinctes et en conflit. Devait-il intervenir sur-le-champ, car il était assez exceptionnel qu'un médecin fût sur place au moment même d'une crise? Il aurait pu feindre une visite de courtoisie et l'étonnement devant le spectacle que lui aurait offert son patient. Mais une pudeur le retint, peut-être un relent de culpabilité de l'avoir, en quelque sorte, espionné.

Il allait donc s'éloigner et, de fait, avait déjà tourné le dos, lorsque la porte du pavillon s'ouvrit et qu'il entendit son patient s'exclamer:

— Ah! docteur Grübbel!

Grübbel se retourna, cette fois véritablement surpris, et il tenta de se composer une mine amène et nonchalante. La mine de celui qui a la conscience tranquille et qui profite de l'air pur, d'un moment de loisir avec une indolence heureuse.

— Bonjour, cher monsieur...

Encore une fois il fut pris de court, ne sachant quel patronyme utiliser et répugnant à l'appeler Dieu, ou Seigneur, ou quelque autre titre réservé aux divinités.

— Je crois que vous hésitez à m'appeler par mon nom. Monsieur Dieu, c'est vrai que cela frise le ridicule... Aimeriez-vous me baptiser d'un nom à votre convenance?

Sur cette dernière réplique, le patient se mit à rire, d'un rire un peu confus, comme s'il était désolé de son hilarité nerveuse.

— Que diriez-vous de Sigmund? proposa-t-il le plus sérieusement du monde.

Mais le sérieux de son ton était en soi une boutade.

— Oh non! Pas ce prénom! Vous ne cherchez qu'à entretenir l'incertitude.

— Vous avez sans doute raison. Cette incertitude, pourtant, vous devez la balayer une fois pour toutes.

— Je suis d'accord, abonda Grübbel. Et puis, je suis à présent persuadé que vous n'êtes pas Sigmund Freud.

— À la bonne heure! C'est un pas dans la bonne direction. Mais vous savez quoi? J'aime bien votre prénom: Hans...

Grübbel eut un petit ricanement et fit une moue. Il voulait lui faire comprendre qu'il n'était pas dupe de son petit jeu et que la flatterie ne pouvait être un chemin conduisant à sa considération.

— Permettez que j'aie le monopole de ce prénom, sans vouloir vous offenser, répondit Grübbel.

— Alors, je ne sais pas, moi... Que diriez-vous de Ludwig?

Le docteur Grübbel eut un sursaut intérieur.

— Et pourquoi ce prénom précisément? s'enquit-il avec le plus de nonchalance qu'il put.

Grübbel se demanda alors si son patient, en plus d'être allé à l'auberge, n'avait pas fait quelques pas dans le cimetière de S.

— Bah! fit le patient en haussant les épaules. C'est un prénom répandu. Il rend celui qui le porte comme invisible, ou du moins lui donne l'incognito. C'est comme s'appeler John en Amérique ou Pablo en Espagne. Un nom passe-partout.

— Vous recherchez donc l'anonymat? demanda Grübbel non sans une certaine malice.

— Si vous ne voulez pas que je sois Dieu, alors je ne suis qu'un homme parmi tant d'autres.

— Mais chaque être est unique, le rassura Grübbel. Ne croyez pas que, si je refusais de croire en vos qualités divines, j'aurais moins de considération pour vous. Par ailleurs, et ne croyez pas à une indiscrétion, j'ai cru vous entendre parler avec quelqu'un. Vous avez un visiteur?

— Ou une visiteuse! répondit le patient avec ironie.

Il plissa le front et, une seconde plus tard, les rides disparurent car il souleva les sourcils.

— Non, je suis seul. Hem! Ce n'est pas bon signe, docteur! Vous entendez des voix, reprit-il cette fois sans ironie, mais plutôt comme s'il était réellement inquiet pour la santé nerveuse de son médecin.

Grübbel, d'ailleurs, ne manqua pas de le remarquer. (Curieux, tout de même, cette insistance à vouloir insinuer que je suis le malade.)

Il n'ajouta rien à l'insinuation. Il salua son patient et s'éloigna. Il ne voulait pas prolonger une conversation qui ressemblait à une partie d'échecs ou à un match de boxe intellectuel.

Dans son journal, plus tard, il écrivit: «Sensation d'être à un tournant. À un carrefour serait plus juste.»

Une liste

Après avoir pris son repas du midi, à la suite de sa visite impromptue à son patient, le docteur Grübbel se retira dans son bureau à l'étage. Sur une feuille de papier, il écrivit :

1. Analyse avec Dieu
2. Essai sur le somnambulisme
3. Relecture de Poe
4. Roman – *Le monde chimérique* (?)
5. Revoir Freud – voyage à Vienne ?
6. Salomé. Lui parler. En avoir le cœur net.

C'était sa façon de se délester du poids de ses responsabilités, des devoirs qu'il s'imposait, mais aussi des envies, des projets, des désirs qui le visitaient, parfois avec insistance.

Il avait rapidement écrit cette nouvelle liste, presque sans réfléchir, car les six points consignés sur la feuille tournaient dans sa tête depuis un moment déjà. Il posa la plume, prit sa tête entre ses mains et étudia plus attentivement la liste. La majorité des points, admit-il, résultaient directement de la présence dans sa vie de son nouveau patient. En fait, le point 1 était presque inutile : le travail était le travail et il était impensable qu'il pût oublier les séances avec son patient. Mais il l'avait tout de même noté et cela indiquait que c'était une préoccupation qui dépassait le simple cadre de ses responsabilités professionnelles. Les séances d'analyse avec son patient avaient non seulement un objectif qui relevait de ses obligations de médecin, mais il avait aussi à cœur de percer ce qu'il croyait être, de plus en plus, une machination, un canular. En définitive, il fallait trancher entre deux hypothèses qui s'excluaient mutuellement. Car, ou bien il avait affaire à un homme véritablement troublé, ou bien tout cela n'était qu'une absurde comédie dont il fallait qu'il découvre l'origine et le but.

Les points 2, 3 et 4, certes influencés par la présence de Dieu, n'en étaient cependant pas la conséquence directe. Par exemple, son essai sur le somnambulisme s'était imposé à lui après la mort accidentelle de sa patiente tombée du toit. En ce qui concernait le point 3, Edgar Poe avait toujours exercé une profonde fascination intellectuelle chez Grübbel, un envoûtement dont les ramifications étaient autant professionnelles qu'artistiques. Enfin, point 4, le roman qu'il projetait (qu'il avait même déjà commencé, bien avant que son nouveau patient ne fasse irruption dans sa vie) se voulait autant un délassement artistique qu'une mise en application des principes et concepts psychologiques qu'il avait élaborés depuis le début de sa pratique médicale. À ce sujet, il lui était apparu que s'éloigner de l'aridité théorique avait deux bénéfices palpables : il toucherait un plus large public sans pour autant abandonner son souci de vérité psychologique, et d'autre part il satisfaisait son besoin impérieux de créer une œuvre d'art originale.

À bien y réfléchir, en ce qui concernait ces trois points (le somnambulisme, Poe et son roman), si la présence de Dieu n'en était pas le moteur initial, celle-ci était cependant venue renforcer l'urgence de s'y enfoncer résolument. Aucun doute, se dit Grübbel, la conversation de la veille au souper l'avait fouetté, à tout le moins intellectuellement stimulé. Son patient avait évoqué Poe, mais aussi l'écriture. Et Grübbel n'avait pas résisté à l'envie de mentionner son projet de roman. Il se rendit compte alors que sur la liste il avait même inscrit un titre provisoire, *Le monde chimérique*, indubitablement influencé par leurs propos de la veille. Le médecin eut un semblant de sourire, n'étirant qu'une commissure de ses lèvres. Les points touchant Poe et l'écriture de son roman, s'ils ressurgissaient et s'imposaient à nouveau à son esprit, Grübbel savait très bien que ce n'était pas uniquement parce qu'ils étaient des objectifs personnels, mais parce qu'ils étaient soudainement liés, par une tournure qui lui échappait en partie, à son patient, à la fois désir narcissique de démontrer sa grande valeur intellectuelle, et armes pouvant lui servir à démasquer l'imposteur. Il releva les sourcils à cette pensée. Comment une étude sur Edgar Poe ou la rédaction d'un roman pourraient-elles l'aider à faire apparaître le véritable visage de son patient? Il haussa les épaules.

Grübbel passa au point 5 : « Revoir Freud – voyage à Vienne? ». Cet élément, force était de l'admettre, n'avait d'autre source que la venue de son nouveau patient. Car au fond, dans les dernières années, avait-il seulement songé une fois à son ancien collègue? Bien sûr, les travaux de Freud lui étaient connus. Il savait aussi qu'il se formait un petit cénacle autour du médecin à Vienne, mais en fin de compte, cela était loin de représenter pour Grübbel une préoccupation majeure ou un quelconque tiraillement. Vraiment? se questionna-t-il. En fait, Grübbel éprouvait un vague scepticisme, mais malgré tout un intérêt modéré pour les travaux de son collègue. Toutes les tentatives pour éclaircir les ténèbres de l'âme humaine ne méritaient-elles pas au moins le support moral des autres chercheurs dans le même domaine? Et Grübbel n'était certainement pas un aigri ou un être rongé de jalousie, un médecin se moquant des travaux de ses condisciples. Pourtant, d'un autre côté – il se l'avouait avec sincérité (et objectivité, se rassura-t-il) –, ce qu'il avait lu de Freud lui était apparu un brin pontifiant, le médecin viennois n'ayant pas, de toute évidence, la fibre artistique que lui-même possédait. Mais au fond, cela n'était qu'un détail et ne devait pas empêcher de lui porter intérêt.

Puis, instinctivement, Hans Grübbel ajouta au bout du point 5 «Avec Salomé?» et demeura figé, surpris par cet acte incontrôlé et, il le sut immédiatement, dicté par la sentimentalité, la passion et un désir frôlant la perversité. Il se souvint alors que c'était Salomé qui lui avait offert le dernier livre de Freud sur l'interprétation des rêves. Il tenta de réfléchir sans emballement émotif aux raisons qui avaient pu pousser la baronne à lui faire ce présent. Nul doute que ce geste, venu certainement d'une bonne intention, l'avait insidieusement agacé. Il en avait aussitôt cherché la motivation profonde, c'est-à-dire la motivation inconsciente. Quel message crypté ce geste recelait-il ? Salomé voulait-elle lui signifier qu'un autre médecin avait des idées aussi révolutionnaires, sinon plus, que les siennes ? Voulait-elle, en le piquant au vif, l'inciter à produire plus qu'il ne le faisait au point de vue médical et théorique ? Cherchait-elle à faire naître un esprit de compétition entre lui et Freud ? Enfin, n'était-ce pas tout simplement un geste maladroit dont la conclusion, blessante pour Grübbel, était que Salomé plaçait Freud à un niveau intellectuel plus élevé que le sien ? Grübbel comprit alors qu'il avait conçu l'idée de rendre visite à Freud en grande partie à cause de l'admiration que Salomé semblait avoir pour lui. Puis, pour ne pas être en reste, il songea qu'il était naturel, et même tout indiqué, avant d'entreprendre une bataille d'idées, de s'informer et de se familiariser avec celles de son confrère viennois. Soit il y aurait rupture idéologique, soit il y aurait une saine collaboration dans laquelle l'apport de Grübbel pourrait s'avérer significatif. À peine eut-il évoqué cette idée qu'il se crispa : quelque chose clochait. Ah oui ! Bien entendu ! Il ne devait pas oublier que, d'une part, Salomé semblait vénérer Freud et que, d'autre part, son patient s'était présenté en forçant la ressemblance avec le médecin viennois. Le fait ou la coïncidence (mais en était-ce bien une ?) était tout de même troublant et c'est pourquoi Grübbel avait écrit au sixième point de sa liste : « Salomé. Lui parler. En avoir le cœur net. »

Il évoqua encore une fois la possibilité que ce matin, au pavillon de son patient, l'une des deux voix entendues pût être celle de Salomé. Aurait-elle rendue visite à son patient sans lui en parler ? Et si (mais était-ce concevable ?) tout cela n'était qu'une mise en scène puérile, un jeu cruel de la part de la jeune baronne aidée d'un ami jouant le rôle de celui qui prétendait être Dieu ? Grübbel soupira, découragé par sa propre suspicion. Allons, il était ridicule de songer un seul instant que Salomé pût s'amuser à le torturer de la sorte. Elle paraissait agir parfois avec un certain machiavélisme, mais n'était-ce pas de sa part simple maladresse ou conséquence de sa naïveté ? Il ne devait pas en douter. Et puis, n'était-il pas le grand détective du cœur humain ? Mais on a beau être un détective hors pair, et peut-être même à cause de ce talent d'investigateur, force lui était de reconnaître qu'il y avait des personnalités d'une complexité ahurissante et que les motivations intimes à la base de certains de leurs agissements pouvaient être le désir de faire souffrir, le désir de semer l'équivoque, la recherche de la jouissance par l'ébranlement des sentiments d'autrui. Cependant, analysa Grübbel, ce désir pervers n'était jamais totalement spontané ; il avait toujours sa source au plus profond de l'être qui éprouvait le besoin de le satisfaire. Ce déclencheur, enfoui dans l'obscurité de la psyché, était souvent loin d'être une évidence logique. Or, et de cela il était persuadé, l'âme de Salomé recelait des coins d'ombres, des ténèbres qu'il n'avait pas encore réussi à sonder. Son apparente cruauté, son plaisir à le rendre jaloux, sa propension à l'occultisme, sa sexualité compliquée, tout cela n'était que les épiphénomènes d'un mal unique tapi au creux de son être. Une question surgit alors dans l'esprit de Grübbel : pourquoi Salomé dirigeait-elle justement contre lui, contre un homme tel que lui, cette cruauté, ou enfin ce désir de déstabiliser? Oui, il lui fallait comprendre pourquoi il déclenchait chez elle ces sentiments morbides. Sans doute, pensa-t-il, le fait qu'il fût un homme de science, un homme ayant une bonne capacité de réflexion, et de réflexion supérieure à la moyenne, que son travail se trouvât aux limites du connu et de l'inconnu, cela sans doute contribuait-il à provoquer chez elle une réaction de jalousie et, partant, un désir sinon de blesser, du moins de troubler et d'ébranler les certitudes que Grübbel affichait avec assurance. Lorsqu'on ne comprend pas, se dit-il, on cherche souvent à détruire. Il touchait là un trait primordial de l'esprit de Salomé, il en était fortement convaincu.

Il posa les mains sur la table et se cala contre le dossier de son fauteuil en émettant un grognement qui relevait autant de la satisfaction que de l'embêtement.

Hans Grübbel aimait jusqu'à la perversité la jeune baronne. Cela aussi, tôt ou tard, il devrait bien l'analyser. Lorsqu'il n'aurait plus le choix…

Jalousie

En avoir le cœur net... ne plus vivre dans cet état de méfiance, de nervosité, de jalousie maladive... Elle est à moi! À moi seul! Mais comment oublier le passé? Comment oublier cette scène dont il avait été le témoin involontaire? Son corps se crispa et il serra les mâchoires sous la violence des sentiments qu'il ressentait: trahison, humiliation, abandon.

Sa main tremblait. Le tintement du goulot de la bouteille de cognac sur le verre de cristal agaça Salomé.

— Hans! Vous allez ébrécher le verre! s'impatienta-t-elle.

— Excusez-moi, Salomé. Je suis un peu nerveux.

Et il soupira profondément, comme s'il cherchait à chasser cette nervosité qu'il admettait. Il but alors, coup sur coup, deux grandes gorgées, puis il fit une pose symbolique avant de vider son verre d'un trait et se resservir. Il se tourna enfin vers la baronne au moment où celle-ci lui demandait la cause de son agitation.

— Je ne sais pas. Ce n'est pas facile à cerner. Je suis sans doute un peu fatigué. Toutes sortes d'idées me trottent dans la tête, fit-il d'un air sombre tout en arpentant la pièce le verre dans une main et la bouteille de cognac dans l'autre.

— Je n'aime pas ça. Je n'aime pas vous voir dans un tel état : cela me fait mal, Hans... se plaignit-elle avec une pointe de tristesse dans la voix.

« Encore de la comédie ! Elle feint d'être touchée et de s'inquiéter pour moi, mais ce n'est qu'artifice ! Elle se moque bien de mes blessures ou des sentiments qui m'habitent. Elle n'est que curieuse ! » pensa Grübbel avec une douleur à la poitrine.

Il était venu chez Salomé dans la ferme intention de la confronter. Mais sa résolution s'était dissoute dès qu'il avait été devant elle, et il ne savait plus très bien quel était le but de cette confrontation. Que voulait-il donc lui faire avouer ? Qu'elle avait secrètement rencontré ce matin même son patient ? Était-il venu lui confier que sa propre nervosité, qu'elle venait justement de relever, provenait de la relation entre lui et son patient ? Que, justement, dans cette relation il avait la désagréable impression d'avoir le dessous ? Comme si cette relation était un duel ! Une partie d'escrime ! La veille encore il avait pourtant eu l'impression contraire : qu'il contrôlait parfaitement la situation et la direction de leurs échanges verbaux. Mais depuis la rencontre impromptue de ce matin, il se sentait désavantagé et, pour tout dire, dans une position d'infériorité face à son patient. Pourquoi diable ?! Et depuis qu'il avait établi sa liste, des sentiments confus s'entrechoquaient dans son esprit.

— Je vais vous poser une question, Salomé. Promettez-moi de répondre avec franchise.

Un sourire se dessina sur la bouche de la jeune aristocrate.

— Ne suis-je pas toujours sincère avec vous, Hans? En doutez-vous?

— Non, bien sûr que non... Mais parfois... certaines circonstances nous poussent à édulcorer nos propos. Ce n'est pas du mensonge, mais de la délicatesse mal placée. Un manque de franchise par omission polie.

Salomé fit claquer sa langue au palais pour marquer son impatience.

— Hans! Cessez de tourner autour du pot et dites-moi ce qui vous tracasse! Quelle est donc cette question?

Grübbel s'approcha d'elle et, non sans un certain sens de la théâtralité, il la regarda avec intensité droit dans les yeux.

— Avez-vous rendu visite à quelqu'un qui se trouve chez moi?

La baronne parut troublée l'espace d'un instant. Elle fronça les sourcils et demanda:

— À qui faites-vous allusion?

— À mon patient! Dieu!

La jeune femme eut alors un soupir comme si elle était soulagée et se mit à hocher la tête d'un air entendu.

— C'est donc ça! dit-elle.

Il y avait une pointe de raillerie dans son ton, mais une raillerie sans méchanceté, presque complice. Puis elle ajouta:

— Sachez, mon cher Hans, que je suis peut-être curieuse, mais jamais je n'oserais interférer dans l'une de vos cures, aussi intrigant et passionnant que puisse être votre patient. Je comprends et je respecte les règles morales qui vont de pair avec votre profession, docteur Grübbel!

— Bien, très bien, je vous crois, Salomé.

— Mais cela ne vous dispense pas de me le présenter, comme vous me l'avez promis de votre propre chef! lui rappela-t-elle avec une insistance moqueuse.

— C'est lui qui en décidera, répondit Grübbel un rien hautain. Après tout, son rôle ne se résume pas à n'être qu'un patient: c'est aussi un homme qui a droit à une vie sociale normale.

— Je ne peux qu'abonder dans ce sens! s'exclama avec enthousiasme Salomé. Et vous savez très bien que c'est vous qui avez fait exprès de piquer ma curiosité! C'est vous et vous seul qui êtes le maître du jeu. Mais je me demande pourquoi une telle suspicion vous est venue. Pourquoi m'avoir soupçonnée d'avoir rendu visite à Dieu à votre insu? Seriez-vous jaloux, Hans? Je vous rassure tout de suite: si cet homme ressemble à Freud, il n'y a aucun danger... pas mon genre!

Et elle s'esclaffa d'un rire enfantin qui était assurément blessant pour la personne qui en faisait les frais, Freud ou son patient.

Grübbel s'était pourtant remis à arpenter la pièce et avait murmuré une phrase.

— Que dites-vous? demanda Salomé.

— Je dis qu'il ne ressemble plus à Freud. Il a changé d'aspect...

— Voyons! Que voulez-vous dire? interrogea la baronne vivement intriguée.

— Ah! je ne sais pas... Comment vous dire? C'est toujours le même homme, certes, mais on dirait qu'il a quitté son déguisement et qu'il apparaît maintenant sous son vrai jour...

— Il ne ressemble plus du tout à Freud?

Grübbel secoua la tête et s'arrêta devant le piano. Il tapota quelques notes dans le grave sur le clavier et prit place sur le banc oblong. Il déposa la bouteille de cognac à côté de lui et laissa son coude gauche enfoncer les touches qui émirent un sombre accord discordant. Ainsi, il pouvait plonger son regard dans le verre où miroitait le cognac comme du bronze en fusion. Puis il hocha la tête comme pour marquer son assentiment à une réflexion pourtant muette.

— Non, il ne ressemble plus à Freud...

Il inspira profondément puis laissa échapper un long soupir avant de poursuivre:

— Mais j'ai toujours la même impression irritante de le connaître. Du moins, de l'avoir déjà croisé quelque part... Seulement, je n'arrive pas du tout à me rappeler où ni quand nous aurions pu avoir été en relation.

— Peut-être est-ce au cours de vos études? Vous l'avez confondu avec Freud parce que vous vous êtes connus à la même époque, à Paris, suggéra Salomé. Mais n'oubliez pas que c'est lui qui a délibérément forcé la ressemblance avec Freud!

Grübbel émit un grognement et déposa son verre à côté de la bouteille. Il joignit les mains et fit craquer ses jointures. Il attaqua alors une petite fugue inspirée de Chopin.

«Salomé, pourquoi êtes-vous si distante et faites-vous toujours semblant de ne pas voir la passion qui me dévore? En fait, vous ne l'ignorez pas totalement mais, en un jeu pervers dont vous seule avez le secret, vous vous amusez à la minimiser, à me faire espérer qu'un jour vous y serez sensible, que vous l'êtes peut-être déjà mais qu'une raison obscure vous oblige à refuser d'y succomber. Et je crois que c'est la peur, oui, mon amour vous fait terriblement peur, car vous le comprenez, vous en êtes flattée et même fascinée, mais vous résistez malgré tout... »

Voilà ce que disait la fugue de Grübbel, ce qu'il aurait voulu que la baronne saisisse de sa petite improvisation.

Il reprit son verre et avala une gorgée en tapant sur une touche aiguë à répétition. Puis, sans même se tourner vers Salomé, il lui demanda :

— Que pensez-vous de Freud au juste ?

— Dieu ! Je ne suis pas familière avec ses travaux ! Je n'ai lu que son livre sur les rêves... A-t-il écrit autre chose ? Je le connais surtout de réputation. Je dois avouer que son livre sur les rêves m'a fascinée. Et pour une fois, vous voyez que je m'intéresse à autre chose que l'ésotérisme ! Les rêves en disent sûrement beaucoup sur nous et, sans cette soupape, il est probable que nous serions tous fous. Tiens, demandez donc à votre patient de quelle nature sont les rêves de Dieu ? !

— Intéressant... mais vous ne m'avez pas répondu. Croyez-vous que Freud soit un génie ? Ou quelque chose du genre ?

— Oh ! certainement pas ! Le génie ne se trouve pas dans la science, il se trouve dans l'art et l'instinct, dans la sagesse et la perception de l'invisible... Le génie se trouve dans la spiritualité !

Grübbel pouvait donc être rassuré. Inutile d'aller à Vienne. Jamais Freud n'avait été un obstacle sur le chemin qui menait à Salomé von Pappenheim. Elle ne considérait pas Freud comme un génie, à peine un savant, un chercheur, et il savait que pour Salomé le savoir scientifique n'était pas, chez un homme, un attrait bien puissant.

Souvenez-vous, docteur... souvenez-vous donc de cette femme cabrée par les secousses de son délire! Ne gardez-vous donc pas le souvenir de cette poitrine à demi dénudée? L'empreinte incandescente de cette lourde chevelure étalée? Et ce souffle rauque... rauque et semblable à un gémissement d'amour, de désir sur le point d'être comblé, de jouissance? Vous ne pouvez pas dire que vous avez oublié cela, cette scène gorgée d'érotisme, car vous avez voulu l'avoir sans cesse sous vos yeux, là, dans cette copie du tableau où l'on voit le maître, Charcot, et cette nymphe qui se prête aux extravagances scientifiques, mais qui en vérité frissonne d'être le centre d'attention d'un groupe de jeunes étudiants barbus et tétanisés par les soubresauts qu'elle leur offre en pâture! Chacun y trouve son compte, n'est-ce pas? Et vous-même, le souvenir ne suffisant pas, vous avez voulu posséder un morceau de cette volupté coupable en exposant cette image... Vous croyez, vous affirmez que cela n'est qu'une représentation d'un moment clé de l'histoire de la science... Mais est-ce bien cela que vous voyez lorsque vous regardez ce tableau? Je n'en crois rien! Vous regardez cette femme avec des frissons qui n'ont aucune parenté avec l'enthousiasme scientifique ou historique. Cette femme, sa fragilité, son abandon, sa vulnérabilité... vous vous en emparez d'un regard fiévreux. Vous la possédez de vos yeux, et vous en avez le droit, bien entendu, puisque vous êtes médecin, vous savez ce qui est bon pour elle, à commencer par votre force, votre respectabilité, votre dignité, c'est votre droit de lui imposer le Bien, même le bien provenant de votre concupiscence, vous êtes un homme et un médecin, elle n'est qu'une

femme, une femme malade, une femme aux nerfs fragiles,
une hystérique! Mais dans la solitude et le confort de votre
bureau, lorsque vous êtes seul et plongé dans la rêverie que
vous apporte ce tableau, ne dites-vous pas secrètement: c'est
moi ton esclave!? Tu m'ensorcelles! Ta folie m'enivre et me
renverse! Tu es ma reine et ma déesse! Je ne veux point te
guérir car ta folie nourrit ma sensualité perverse!

Regardez bien le tableau, docteur. Dites-moi ce qu'il
vous inspire, en toute franchise... Charcot n'est rien pour
vous, avouez-le donc! Vous savez que vous l'avez intellec-
tuellement dépassé. Alors, pourquoi garder ce tableau? Quel
mystère recèle-t-il pour qu'il vous soit comme une icône?

Une promenade au cimetière

Le matin suivant, soit le 3 décembre, le docteur Grübbel se réveilla de fort méchante humeur. Encore une fois, il avait eu une mauvaise nuit. Cependant, il ne pouvait mettre cette dernière sur le compte d'un repas trop lourd ou d'une conversation trop stimulante avec son patient. De plus, dans l'après-midi, sa rencontre avec la baronne l'avait rassuré, du moins sur les dispositions de celle-ci à l'égard de son patient et de Freud. Salomé lui avait juré qu'elle n'avait pas rendu visite au premier, il pouvait donc être tranquille de ce côté. Puis il songea que de toute la journée d'hier, il n'avait vu son patient que cinq minutes, le matin, devant le pavillon particulier. En fait, mise à part la première séance d'analyse, séance programmée à l'avance la veille, Grübbel avait noté qu'il ne voyait son patient que par hasard et, même, toujours au moment où il s'y attendait le moins : dans la forêt, le matin de la première analyse ; au souper la même journée ; hier matin près du pavillon. Quelle conclusion devait-il en tirer, si toutefois il y avait une quelconque conclusion possible à tirer du hasard ? Non, non... cela reviendrait à croire aux signes, à charger le hasard d'une mission, à le muter en destin. Son esprit scientifique s'y opposait avec vigueur. Du hasard, un point c'est tout !

La vie en était farcie et, finalement, c'était même une constante: la vie n'était qu'une suite de hasards qu'il fallait accepter sans chercher à comprendre. Il suffisait de sourire tout en étant conscient que le hasard n'était qu'un élément de l'extrême complexité de l'existence humaine. Car il y avait les purs hasards et ceux plus ou moins provoqués par les choix que l'on faisait. Et il se produisait, sur le chemin de l'existence, des événements qui ne devaient absolument rien au hasard, mais qui résultaient uniquement des décisions et de la volonté de l'acteur. Grübbel faisait ses ablutions avec une certaine agressivité. Devant le bol et la cruche, il s'aspergeait le visage d'eau froide avec la rage au cœur. Il voulait effacer de son être les réflexions gommeuses qui s'y trouvaient collées, accumulées dans son esprit durant les longues heures où il n'avait pu trouver le sommeil. Où il avait ressassé des pensées agaçantes qui proliféraient comme des mauvaises herbes, qui ligotaient son cerveau comme les lianes d'une forêt tropicale, une forêt suffocante, humide et fiévreuse.

Voyons, se disait-il devant le miroir, il faut essayer d'y voir plus clair. Pourquoi cette irritation? La fatigue, sans doute. Mais ce n'est qu'un symptôme. Quel est le mal, alors? Ah! le mal! Le mal, c'est ma conscience torturée. Et si ma conscience est ainsi torturée, je dois bien l'admettre, c'est à cause des sentiments que j'éprouve à l'égard de Salomé. Le mal serait donc Salomé? C'est injuste. Mais n'agit-elle pas de façon insensée et même cruelle? Pourquoi trouve-t-elle tant de plaisir dans la cruauté? Et pourquoi suis-je assez faible pour l'accepter? Pour l'accepter et même y trouver un certain charme!

Allons, se dit encore le docteur Grübbel, une petite balade va me faire le plus grand bien.

À peine avait-il mis le nez dehors qu'il vit venir vers lui son patient.

— Ah! Docteur! Je venais vous voir pour fixer l'heure de notre prochaine séance. Vous sortiez? Votre petite promenade salutaire?

Grübbel respira un bon coup. Il observa l'homme avec une pointe d'amusement : à peu de chose près, il était vêtu comme lui-même, à savoir un paletot long, des bottes de cuir hautes, des gants, une canne, un chapeau mou... Il ne portait plus de lunettes, plus de barbe. Il n'avait plus aucune ressemblance avec Freud. Grübbel ne s'étonnait plus de rien, ou du moins il se retenait de faire quelque réflexion que ce soit sur la nouvelle apparence de son patient. «Fouille-t-il dans mon placard?» se demanda-t-il en sachant que c'était plus qu'improbable.

— Et pourquoi ne vous accompagnerais-je pas? proposa le patient. Après tout, une conversation en marchant est aussi valable que de s'enfermer dans votre bureau pour une séance d'analyse, non?

Grübbel n'y trouva rien à redire. Il était même de l'avis de son patient. N'affirmait-il pas qu'en matière d'analyse il fallait savoir ouvrir de nouvelles perspectives? Et c'est ainsi qu'ils entreprirent une promenade qui débuta sur la grand-route.

— Pourquoi êtes-vous venu vous installer ici? Vous connaissiez déjà la région? s'enquit son patient.

Grübbel hocha la tête et regarda au loin la route de terre boueuse.

116

— On dirait que vous jouez encore au médecin et que je suis votre patient.

— Hé! vous n'êtes pas obligé de me répondre. Mais je me dis que parfois, pour un psychologue, même les questions de son patient peuvent être révélatrices. Le psychologue peut discerner, au travers de la curiosité de ce dernier, ce qui le tracasse véritablement.

— Hum! Alors je serai tenté de dire que vous êtes tracassé par ma personne.

— Tracassé n'est peut-être pas ici le terme qui convienne, fit son patient sur un ton qui se voulait énigmatique.

Ce ton rappela à Grübbel la phrase de son patient, l'avant-veille, à la fin du repas: «Maintenant, vous devez commencer à comprendre pourquoi je suis ici.»

— Sans doute, répliqua-t-il, mais vous cherchez bel et bien à me connaître. Je croyais cependant que cette étape avait déjà été franchie. Tout prouve que vous vous êtes déjà renseigné sur moi. Pour quelles raisons, je l'ignore. Mais vous cherchez à en savoir plus. Il y a des zones d'ombres qui vous agacent, dirait-on. À la limite, je peux comprendre qu'un patient se renseigne sur la réputation d'un médecin qu'il songe à consulter, surtout pour des problèmes d'ordre psychologique, car il va dévoiler ici une grande part de son intimité. Cependant, dans votre cas, cela semble d'un autre ordre. Pas exactement une curiosité malsaine, mais intéressée, disons. Je ne me l'explique pas.

— Grübbel, vous analysez peut-être trop! Ou au mauvais endroit. Ma question est d'autant plus légitime que je suis persuadé que vous vous l'êtes déjà posée à vous-même.

— Comment?

— Vous vous êtes sûrement dit un jour: je veux pratiquer dans un endroit retiré. Je crois aux vertus de la campagne. Où pourrais-je trouver un coin de la sorte pour y établir une maison de santé qui serait également ma demeure privée? Vous deviez en avoir drôlement marre de Berlin, de Berlin ou d'ailleurs...

Grübbel quitta l'horizon des yeux pour poser un regard amusé sur son patient.

— Fascinant, dit-il avec un sourire.

— Et alors?

— Oui, il y a peut-être un peu de ça, répondit Grübbel. Mes études et ma pratique, au début, m'ont fait voyager: Paris, Londres, Vienne, Berlin... J'ai voulu m'installer loin de la rumeur, des cancans, de la frénésie artificielle. Il me fallait le calme pour poursuivre mes recherches, parfaire ma façon personnelle d'analyser et pouvoir me pencher sur les écrits plus artistiques que je remue depuis un certain temps déjà.

— Comme vos travaux sur Poe?

— Entre autres.

— Et ce roman?

— Oui.

— Et cet essai sur le somnambulisme...

— Mon essai sur le somnambulisme? fit le docteur Grübbel avec stupéfaction. Je ne me souviens pas de vous en avoir parlé!

— Non? Bizarre... Je peux me tromper. Peut-être ai-je extrapolé à cause de cette histoire qui est survenue à l'une de vos patientes...

— Je vois... vous vous êtes également renseigné là-dessus. Un bien triste accident, articula le docteur Grübbel d'une voix étranglée.

— Elle est tombée du toit alors qu'elle était en état de somnambulisme, n'est-ce pas?

— En effet, un malheureux accident vous dis-je! s'impatienta Grübbel.

— Une si jeune fille... à peine dix-huit ans, non? soupira le patient avec une commisération qui parut feinte à Grübbel.

Le médecin mit le pied dans un trou gorgé d'eau de pluie et lança un juron. Puis, après une brève inspection de sa botte, il reporta son regard sur son patient et proféra entre ses dents serrés:

— Qui êtes-vous donc à la fin? Que me voulez-vous?

Le patient haussa les sourcils de surprise et murmura:

— Désolé... Je ne voulais pas vous...

Grübbel détailla les traits de l'homme. Il semblait en effet sincèrement consterné de l'avoir irrité en insistant sur un incident délicat. Le médecin soupira. Quelques secondes auparavant, l'insistance de son patient sur ce désagréable épisode lui avait paru singulière et il avait eu l'impression de se trouver devant un inspecteur de police qui aurait travaillé sous le couvert de l'anonymat. Était-ce donc cela? La famille de sa défunte patiente aurait-elle des doutes sur ce qui était survenu? Mais Grübbel n'avait rien à cacher et il s'agissait bel et bien d'un accident. D'ailleurs, son fidèle serviteur, Klaus, pouvait en témoigner.

— Et puis? Comment avez-vous entendu parler de ce coin perdu? redemanda son patient d'une voix cette fois doucereuse.

Grübbel reprit confiance et dit :

— Je crois qu'un cousin m'en a parlé. Puis, au cours d'une visite d'exploration, j'ai vu ces ruines, enfin les ruines qu'il y avait là avant que je n'achète la terre et que je n'y fasse construire ma maison de santé et ma demeure.

— Les ruines… oui… fit pensivement l'autre.

Grübbel serra à nouveau les mâchoires.

— Un cousin, dites-vous ? reprit le patient. Vive la famille ! Voilà un lien qui est sacré !

— Oui, la famille... c'est plus précieux qu'on ne le croit, insista Grübbel en opinant cérémonieusement à sa propre affirmation.

Puis, après une pause, il ajouta :

— Mais c'est aussi un excellent bassin où fourmillent les prémices de multiples désorganisations mentales.

— Vous croyez ?

— Certainement ! L'autorité du père, l'amour malhabile de la mère, les jalousies entre frères et sœurs, voilà trop souvent la source de maux qui varient en gravité, certes, mais qui affectent le tempérament faible pris en étau entre son désir de se libérer des conventions bourgeoises et familiales, et la culpabilité ressentie par la transgression des lois ancestrales. Un timoré en sera plus affecté qu'un jeune homme déterminé. Gagner sa liberté est toujours une épreuve difficile ; et la liberté que l'on se donne a parfois un goût amer car elle n'est qu'un leurre. On aura alors confondu la liberté avec la révolte stérile dont les moyens sont autodestructeurs plutôt qu'autoconstructeurs.

— Et cela peut aussi être destructeur pour l'entourage, non ? proposa le patient.

Grübbel acquiesça. Il venait de s'apercevoir qu'il ne faisait que débiter ses notes et réflexions maintes fois ressassées dans la solitude.

— Mais la famille peut aussi s'avérer un solide clan sur lequel on peut compter. L'entraide et la loyauté sont un baume pour le membre du clan qui éprouve des difficultés, émit-il avec assurance.

— Bel éloge de la famille unie! ironisa pourtant le patient. Mais même au sein d'une famille loyale et unie, la pression est toujours là pour celui qui cherche à forger sa propre identité. La loyauté, surtout si elle est aveugle et rituelle, peut représenter un poids énorme et culpabilisant.

Grübbel était étonné: il semblait que son patient avait lui aussi songé sérieusement à la question. Mais le médecin se garda bien de lui en faire la remarque. Ils continuèrent à marcher en silence, chacun réfléchissant sans doute à sa propre famille. Car le médecin n'en doutait pas un instant: cet homme avait une famille, comme tout être humain. Grübbel aperçut au loin les premières maisons du bourg de S. et les murs du cimetière à droite de la route.

— Et votre père? Je veux dire... quel genre d'homme était-ce?

Grübbel ne fut pas surpris par la question. C'était comme s'il s'y attendait depuis le début de leur entretien sur la famille. Il ne chercha donc pas à l'éviter.

— Un bon bourgeois, je suppose... Un industriel consciencieux qui a fait fortune et parcouru le monde. Donc souvent absent.

— Cela a dû vous être pénible en tant que fils unique.

121

Grübbel ne broncha même pas. Plus rien ne le surprenait venant de cet homme, du moins pas son acharnement à scruter son passé. De plus en plus, il croyait voir clair dans son jeu : il s'agissait d'une manœuvre pour le déstabiliser. Mais le but de cette machination lui demeurait obscur, bien que l'hypothèse d'un confrère voulant tester ses aptitudes médicales flottait toujours dans sa tête. C'était cela, ou un inspecteur de police...

— Ah ! le cimetière ! s'exclama le patient d'un ton exagérément enjoué et en le pointant du bout de sa canne. C'est là que je suis allé avant-hier avant de me restaurer et d'écrire à l'auberge.

Grübbel eut alors un petit rire hautain, ce qu'il se reprocha aussitôt. C'était bien la dernière chose qui pût être utile, lors d'une analyse, que de manifester du dédain. En tant que médecin, il n'avait pas à afficher une supériorité morale. De toute manière, le patient ressentait toujours cette supériorité et il était donc inutile d'en rajouter.

Cependant, l'autre ne semblait pas avoir entendu ce rire blessant et poursuivit :

— D'ailleurs, petite anecdote savoureuse, je suis tombé sur une pierre tombale qui portait le même patronyme que le vôtre : Grübbel. Un certain Ludwig Grübbel. Ça vous dit quelque chose ?

Le docteur se crispa. Bien sûr qu'il se souvenait de cette tombe : il l'avait aperçue quelques mois auparavant, au début de l'été. Inoubliable, puisqu'il avait le même jour fait la rencontre de Salomé. À vrai dire, pour être exact, il l'avait aperçue sans savoir encore qui elle était. Mais il n'y avait aucune raison de parler de tout cela à son patient.

— Non, ça ne me dit rien. Et je vous avoue franchement que je préfère la compagnie des vivants à celle des morts ! Et vous ? Cela éveille certains sentiments de vous promener dans un cimetière ? Du plaisir ? De la crainte ? De l'angoisse ?

Grübbel eut le sentiment de reprendre de l'ascendant sur son patient. Ce fut de courte durée. Celui-ci dodelina de la tête, un sourire amer sur les lèvres. Il soupira avant de répondre :

— Je sens que vous aimeriez m'entendre dire que j'adore les frissons que cela me procure.

— Pas du tout ! se défendit Grübbel avec franchise. Plaisir ou angoisse, peu m'importe. Je n'ai pas de préférence. Mais quel que soit le penchant qui vous y conduit, quelle que soit la fascination que vous pouvez éprouver pour les cimetières, ceci a une origine, un fondement, et c'est cela qui est précieux dans notre démarche analytique.

— Mais je n'ai jamais dit que j'éprouvais une quelconque attraction pour les cimetières, docteur ! Je ne racontais qu'une anecdote et si je me trouvais dans un cimetière, avant-hier à midi, c'était uniquement le fruit du hasard. Par ailleurs, encore une anecdote, si vous permettez : l'aubergiste m'a dit qu'il existait encore des ruines du manoir de ce Ludwig Grübbel. Mais ce vieillard libidineux est sans doute fêlé du chaudron et mélange probablement ses souvenirs. Car vous avez bien acheté des ruines, n'est-ce pas ? Alors, vous êtes peut-être propriétaire de ce qui, autrefois, appartenait à ce Ludwig Grübbel. Ce serait un fameux hasard, ne trouvez-vous pas ?

123

Le médecin haussa les épaules pour bien marquer que cela n'avait aucune espèce d'importance pour lui. Après une grande respiration, il décida d'abattre ses cartes :

— Vous savez à quoi vous me faites penser, monsieur ? À un détective qui, l'air de rien, chercherait à tirer les vers du nez à un suspect !

Encore une fois, Grübbel regretta aussitôt ses paroles. Car, bien vite, par cette analogie et par toute la charge symbolique qu'elle contenait, il se rendit compte qu'il exposait de lui-même une trop grande intimité psychologique, dans laquelle flottait un parfum de culpabilité. Il donnait sans doute l'impression d'être sur ses gardes, ce qui était absurde. Hélas, son patient ne manqua pas de relever la chose, mais sans trop insister. Il dit simplement :

— Étonnante réflexion, docteur Grübbel...

Il hocha la tête, comme s'il soupesait tout cela dans son esprit étonné. Grübbel voulu minimiser :

— La vie est pleine de coïncidences, monsieur. Le problème serait plutôt de voir en celles-ci des signes. Car un être qui perçoit des signes à chaque hasard est un être troublé.

— Vous ne croyez pas aux signes, docteur ?

— Je suis un homme de science, monsieur !

— C'est vrai : vous ne croyez pas à mon existence.

— Je crois à la souffrance humaine et à la douleur de l'esprit. Ce sont ses douleurs qui font naître les chimères futiles, les illusions.

— Ce dont je fais partie, je suppose. Je ne suis donc qu'une chimère futile ?

— Ce n'est pas ce que j'ai dit. De toute façon, je ne sais pas qui vous êtes.

— Oh! oui, vous le savez! Je vous l'ai dit!

— Vraiment? L'avez-vous vraiment fait? Car à ce sujet il m'est venu une idée...

Grübbel s'était aventuré trop loin pour faire marche arrière. Bien sûr il aurait pu ruser et trouver autre chose que ce qu'il avait conçu, mais cela aurait risqué de sonner faux. De toute façon, il lui sembla que le fond de sa pensée était la bonne chose à dire afin de pousser l'autre dans ses derniers retranchements chimériques. Il poursuivit donc :

— Comment puis-je avoir la certitude que vous êtes Dieu et non pas une autre créature spirituelle? Disons... moins attentionnée... plus encline à faire régner la confusion, le désordre et le chaos.

Grübbel, qui regardait alors la route à ses pieds, sentit pourtant son patient se redresser, prendre une posture empreinte de fierté et il put entendre sa respiration profonde, comme nourrie d'enthousiasme.

— Ah! Bien joué! Nous y voilà! Superbe! Vous insinuez que je pourrais être Satan! Satan qui se fait passer pour Dieu. Je suis tout pantelant devant le génie de votre intuition! Fasciné, docteur! Oh! oui, je suis fasciné!

Ils entrèrent tout naturellement et sans se consulter dans le cimetière de S. Ils longèrent un des murets, qui était bordé, de l'autre côté, d'une rangée de pierres tombales. Grübbel pensa à Salomé. Il espérait qu'elle n'avait pas eu l'idée de venir faire une balade à cet endroit, comme elle en avait parfois l'habitude. Car, il ne le savait que trop bien, elle était fascinée par les lieux macabres et par tout ce qui touchait, de près ou de loin, à la mort, à l'éternité, au spiritisme et à l'occultisme. Cette fascination morbide avait fait plus d'une fois l'objet de leurs conversations et, malgré l'entêtement de Grübbel à vouloir comprendre cette attraction, il n'avait jamais réussi à aller très loin dans son enquête. Salomé refusait de voir dans cette curiosité d'ordre ésotérique un phénomène psychologique. Elle y voyait plutôt une recherche philosophique raisonnée. Comment, dans ces conditions, aller en profondeur? C'était comme tenter de convaincre un homme primitif que l'orage est un phénomène naturel et non la manifestation d'un dieu en colère: l'explication scientifique ne saurait l'atteindre.

Les deux hommes avaient gardé le silence depuis la tirade enthousiaste du patient et Grübbel se sentit donc en droit d'insister:

— Vous ne m'avez pas répondu.

— Il n'y a pas de réponse possible à cette question. Mais le simple fait que vous vous la posiez me semble révélateur.

— Pardonnez-moi, mais je n'ai pas dit que vous étiez Satan ou que vous pouviez l'être. Je me demande simplement comment un humain comme moi peut faire la différence entre deux êtres de nature spirituelle. C'est une question de logique.

— Donc, vous cherchez à me prendre en défaut à l'aide de la logique? Cela vous faciliterait la tâche, n'est-ce pas?

Grübbel haussa les épaules comme si cela n'avait aucune importance. Pour la première fois, son patient se tourna vers lui pour observer son visage et il ajouta:

— C'est à vous de trouver qui je suis, Dieu ou Diable.

Il y avait du défi dans la réplique. Mais Grübbel eut un petit grognement victorieux.

— Nous changeons donc de registre! Moi aussi je trouve cela «révélateur», comme vous dites. Il semble que nous entrions dans une nouvelle phase de l'analyse!

— Pas du tout! répliqua le patient avec véhémence. Je maintiens toujours que je suis Dieu! Et n'oubliez pas, cher docteur, que Lucifer est ma création. Sa révolte et toutes ses balivernes ne sont que des bêtises que j'ai laissé dire. Mais je ne nie pas l'existence de Lucifer!

— Nous en revenons alors au point de départ, monsieur...

— Peut-être le faites-vous exprès, docteur, peut-être avez-vous intérêt à ce que nous tournions en rond.

— Ridicule! émit Grübbel d'un ton cassant.

Le bourdonnement revint le troubler à ce moment-là. Il porta une main tremblante à son oreille et tenta d'étouffer un gémissement.

— Quelque chose ne va pas, docteur?

— Non, rien. Une otite, sûrement...

Grübbel avait cessé de marcher pour se frotter l'oreille vigoureusement. Son patient, embrassant du regard la multitude des tombes, demanda:

— Croyez-vous qu'Edgar Poe aimait à se promener dans les cimetières?

— Il faut savoir faire la différence entre auteur et personnage! Le cimetière ou la mort, enfin le sentiment du macabre, n'était sûrement pour lui qu'une manière de parler de ses émotions les plus intimes. Une façade, un symbole...

— Donc, les signes existent, fit le patient mi-figue, mi-raisin.

— Mais ceux-ci sont volontaires! Et il s'agit plutôt de symboles que de signes!

— Hum! Un homme décide de ses propres signes, même symboliques!

Ils marchaient sans regarder les monuments funèbres, absorbés dans leur discussion, et l'endroit où ils se trouvaient n'y changeait rien. Ils auraient pu tout aussi bien se trouver sur Unter den Linden ou les Champs-Élysées. L'espace était aboli par la trop grande présence de l'esprit.

Il y eut pourtant un long moment de silence et Grübbel en oublia presque son compagnon. En fait, celui-ci se trouvait bien au centre de ses réflexions, mais sa présence physique était sans importance. Il en était revenu à l'idée que cet homme pouvait très bien être un policier ou un détective privé. Un détective engagé par la famille de sa patiente tombée du toit quelques mois plus tôt.

«Je suis peut-être sous enquête», pensa Grübbel. Soit de la part des autorités officielles, soit de la part de la famille. Une famille rongée de tristesse et de soupçons qui avait engagé un Sherlock Holmes de pacotille, lequel n'avait pas trouvé mieux que cette combine grotesque: se faire passer pour un patient prétendant être Dieu. Cela le fit sourire. Il n'avait rien à se reprocher. Aussi, prenant les devants, il lança:

— Mais il n'y a pas qu'Edgar Poe qui retienne mon attention. Il y a aussi un auteur anglais que j'affectionne beaucoup... Peut-être le connaissez-vous? Arthur Conan Doyle?

— Qui ne le connaît pas! Le père de Sherlock Holmes, le brillant détective! C'est assez singulier: il y a tout un fossé entre votre Anglais et l'Américain. Doyle est un auteur sans grande envergure littéraire et j'ai même entendu dire qu'il s'adonnait au spiritisme et à la mode des tables tournantes, fit le patient avec une moue de mépris. Tout de même curieux si l'on songe qu'il est le créateur d'un personnage féru de science et par ailleurs cocaïnomane... Holmes représente bien l'homme d'aujourd'hui pour qui tout repose sur la logique. C'est aussi votre point de vue, non? Tout s'explique toujours de façon rationnelle; il n'y a pas d'autre réalité que celle que nous avons sous les yeux; il n'existe pas d'autres mondes que le nôtre... La matière est le début et la fin! Bref, inutile d'essayer de comprendre le monde autrement que de manière empirique. Mais la pensée? L'âme? La mort?

Et il fit un grand geste théâtral de la main en direction des tombes qui les encerclaient.

— Nous en revenons donc à la mort, fit Grübbel narquois.

Son patient s'immobilisa alors devant une pierre tombale. Il lut à haute voix:

— Stefan Pfeizzer, médecin, 18...-18... Un collègue? Ce nom vous dit quelque chose?

— Absolument rien! répliqua Grübbel avec une autorité hautaine.

Le bourdonnement dans son oreille se mua alors en une sorte de crépitement, semblable à celui du feu dans l'âtre. Il ne pouvait cacher l'exaspération que cela lui causait et son patient le remarqua.

— Et votre mère, Grübbel? Quelle genre de femme était-elle?

Le médecin s'arrêta net. C'en était trop. Cet imbécile de détective à la gomme allait trop loin. Grübbel se tourna vers lui et le saisit par les épaules avant de répondre d'une voix rendue rauque par la colère :

— Cela ne vous regarde pas, misérable petit fouineur !

Sur ce, il tourna les talons et reprit le chemin du retour, non sans avoir eu le temps de voir se dessiner sur les lèvres de son patient un sourire sarcastique et de l'entendre dire :

— Je vais à l'auberge ! Je vous reverrai ce soir, Hans !

Mon passé est un champ de ruines calcinées, à jamais fumantes et pestilentielles, docteur. C'est ainsi que je l'ai voulu, sans doute. J'ai mis le feu à mon passé, à mes racines, à ce qui aurait dû être (et l'était peut-être) la sécurité, l'ancrage. J'ai mis le feu au manoir, docteur, après les avoir tués tous les deux. Il fallait sans doute que je fasse disparaître les traces de mon crime : le meurtre de ma mère et celui de son amant. Mais il y avait plus que cela dans mon geste, plus qu'un simple désir de cacher ma culpabilité. Je voulais qu'il ne reste plus rien de mon hideux passé, de ma triste et coupable passion, de mon abjecte jalousie. Mais vous le savez bien, docteur : la vie n'accepte pas les cendres. C'est usurper le rôle de la mort. Non, rien ne peut devenir cendres tant que la conscience existe, car celle-ci s'amuse à tout reconstruire, sans cesse, et des décombres calcinés elle refaçonne le manoir ancestral. Impossible d'y échapper. Et pourtant je l'ai cru à ce moment-là. J'ai cru dur comme fer avoir tout effacé. Car il n'y avait plus de manoir – sauf l'escalier central, arrogant comme une flèche qui s'élance vers le ciel – et il n'y avait plus de mère, plus d'amant, plus de père et de mari. J'étais odieusement libre. Et donc plus de passé. Il n'y avait plus de Hans Grübbel. En quelque sorte, je venais d'accéder à une nouvelle vie, je venais de me réincarner – car moi aussi j'avais brûlé dans l'incendie du manoir. Mais je cherchais désespérément mon nouveau corps. Après une longue et brûlante illumination, je m'étais réincarné et pourtant mon nouveau corps se défilait : trop neuf, trop nu, trop grand.

Pour le petit Hans.

Remue-ménage

Le docteur Grübbel en était encore à se tourner et se retourner dans son lit lorsqu'il entendit des bruits et des éclats de voix au rez-de-chaussée. Il se leva d'un bond, comme pris de panique, les traits tirés par l'insomnie, et passa en vitesse une robe de chambre pour aller voir ce qui se passait.

Au bas de l'escalier, la porte du salon était ouverte et la lumière allumée. Il entendit alors des éclats de voix, dont celle de son fidèle serviteur, Klaus :

— Je vais aller prévenir le docteur Grübbel! Ça ne se passera pas comme ça!

— Grand bien vous fasse! Mais vous êtes tout à fait ridicule... Ne voyez-vous pas au contraire qu'il y en a aussi pour vous?

Il y eut un gloussement féminin, couvert aussitôt par le rire tonitruant du patient. Klaus sortit à cet instant de la pièce et aperçut son maître sur les dernières marches de l'escalier central.

— Ah! Monsieur! C'est votre patient : il fait un scandale!

— Mais qu'est-ce que... bredouilla Grübbel.

D'un pas résolu, il se dirigea vers le salon. Le spectacle qu'il eut alors sous les yeux lui déplut assez pour qu'il en échappât un juron. Son patient se trouvait au milieu de la pièce et brandissait une bouteille de cognac, tandis qu'à son autre bras se pendait, hilare et décoiffée, une jeune femme blonde, ivre de toute évidence. Sur le sofa était assise une autre femme, brune, à la mine boudeuse, jambes croisées et pour lors occupée à retirer l'aiguille qui maintenait en place un chapeau sur son abondante chevelure. Aucune de ces personnes ne fit attention à Grübbel qui, après s'être exclamé, demeura pétrifié, changé en statue de sel, le rouge lui brûlant les joues et le front. La jeune femme sur le sofa, lançant son chapeau sur une chaise, dit d'un ton maussade :

— Tu nous avais promis du champagne et voilà que tu veux nous servir de cet infect schnaps !

— Non ! Du cognac, mes toutes belles ! Du cognac ! se défendit le patient.

Puis, remarquant Grübbel :

— Hans ! Allons, vieux filou ! Peux-tu nous dire où tu caches ton champagne ? Ton larbin refuse de nous en servir ! Tu ne peux décemment pas refuser une coupe à ces jeunes demoiselles.

Et sur ce, il fit un ostensible clin d'œil au médecin.

Grübbel entra dans une rage folle qui n'avait au début que les mots pour s'exprimer. Cela lui parut, de prime abord, suffisant, pour autant que les mots pussent blesser Dieu :

— Non, monsieur ! Non ! Ne voyez-vous donc pas qu'il est impossible que vous soyez Dieu ? Vous n'êtes en vérité qu'un être méprisable et odieux ! Vous agissez à l'encontre de toute morale, de toute bienséance! Vous ne respectez pas ma maison, vous en faites un lupanar! Oui, vous y amenez des prostituées! Croyez-vous donc que le seul fait de prétendre être Dieu vous autorise à prendre vos aises ici? Cela est trop fort! Vous êtes méprisable, vous dis-je! Vous n'êtes qu'une vermine, un bouffon! Vous vous jouez de moi! J'ignore pour l'instant pourquoi vous faites ce tapage, mais il est hors de question que je vous laisse poursuivre vos petites manigances! Vous m'entendez? Dieu, s'il existait, n'agirait certainement pas de la sorte! Vous êtes un imposteur! Un imposteur, monsieur! Animé des plus viles, des plus abjectes intentions et je ne vous laisserai pas le loisir d'agir à votre guise sous mon toit!

Le docteur Grübbel saisit l'homme par le revers de son veston, tandis que les deux filles se collaient l'une contre l'autre sur le sofa. La jeune blonde, qui avait quitté le bras du patient pour se réfugier auprès de sa compagne, pleurait bruyamment alors que la brune, stoïque, observait la scène avec une attention mi-amusée, mi-sérieuse. Elle tira machinalement une cigarette d'un étui argenté.

Le patient ne cherchait pas à se défaire de la poigne de Grübbel. Au contraire, il le regardait droit dans les yeux en hochant la tête d'un air entendu.

— C'est donc ça, dit-il d'un ton posé. Le chat sort du sac. Vous croyez que je suis un imposteur, hein? Une vermine mal intentionnée? Peut-être un collègue jaloux cherchant à vous faire sortir de vos gonds? Ou alors un détective engagé par la famille de la jeune fille qui est tombée du toit où elle se trouvait pendant une crise de somnambulisme? Vous ne m'avez jamais cru, n'est-ce pas? Mais alors, voyons voir jusqu'où vous êtes capable de pousser votre raisonnement, cher docteur Grübbel...

D'un geste vif, il se défit de l'emprise du médecin et sortit d'une de ses poches un petit revolver en argent qu'il lui mit de force dans les mains. Le plus troublant, devait songer par la suite Grübbel, c'est qu'il ne s'y était pas opposé. Le patient recula de trois pas et, en un geste théâtral, tira de ses deux mains sur sa chemise dont les boutons sautèrent. Il lui présentait sa poitrine tout en fulminant :

— Je vous dis que je suis Dieu et que vous ne pouvez pas me tuer! Ni même me blesser! Vérifiez donc par vous-même! Tirez! Il y a ici deux témoins qui pourront certifier que c'est moi qui vous l'ai demandé... Vous pourrez même affirmer, du haut de votre savoir d'homme de science, que j'étais sous l'emprise d'une crise de démence qui ne vous laissait aucun autre choix. Allez! Tirez! Tirez, si vous n'êtes pas un lâche!

Grübbel avait lui aussi reculé de quelques pas. Il devait se souvenir par la suite qu'il avait eu le temps de jeter un regard au revolver et qu'il avait même remarqué que celui-ci était fort bien ouvragé et d'un bon poids malgré sa petitesse. Il avait eu l'impression que ce revolver ne lui était pas inconnu. Il devait également se rappeler avoir jeté un coup d'œil aux deux filles. La blonde avait caché son visage dans le cou de l'autre, qui observait toujours la scène avec une froideur déconcertante. Elle tenait un briquet argenté dans une main et Grübbel eut le temps de noter qu'elle lui faisait penser à Salomé. Le regard de cette femme était paisiblement posé sur lui. Alors, comme au travers d'une brume, il vit l'étui à cigarette argenté, le briquet argenté et le revolver argenté. C'était comme si ces trois objets formaient une équation dans son esprit, un triangle mystérieux. Puis, à l'instant où la femme fit jaillir la flamme du briquet, comme s'il s'agissait d'un signal, Grübbel appuya sur la gâchette du revolver.

Migraine et mensonge

Le docteur Grübbel avait les coudes appuyés sur son bureau et la tête entre les mains lorsque le vieux Klaus frappa à la porte.

— Entrez... souffla-t-il péniblement.

La porte s'ouvrit lentement pour laisser paraître l'imperturbable valet.

— Monsieur, la baronne von Pappenheim vient d'arriver.

Le docteur Grübbel aurait juré que son cerveau allait se fendre en deux. En un douloureux élancement, il se souvint d'avoir invité la baronne quelques jours auparavant afin qu'elle puisse faire la connaissance de son étonnant patient.

— Merci, mon bon Klaus. Heu... dites-moi, le salon est-il présentable ?

— Le salon est nettoyé, oui, monsieur.

— Parfait ! Vous pouvez y faire patienter la baronne.

— Très bien monsieur.

Klaus se retira. Grübbel aurait voulu le rattraper, ou lui crier de préparer du café, mais il n'en eut pas la force. Le simple fait d'avoir pensé au café lui avait donné un haut-le-cœur. Il ferma les yeux, en quête d'apaisement, mais ce ne fut que pour mieux sentir les battements nerveux à ses tempes. Impossible de voir Salomé dans cet état... Il aurait dû faire dire par Klaus qu'il était indisposé, ce qui était loin d'être un mensonge. Non, ce qu'il lui fallait à présent, c'était un puissant analgésique, quelque chose qui lui remettrait les idées en place. Il se leva en soupirant et se dirigea vers la pharmacie, sortit les clés de sa poche et ouvrit la petite porte vitrée. Il laissa ses doigts errer sur les petites fioles et se décida enfin pour le médicament qu'il fournissait à la baronne : de la cocaïne.

Il retourna à son bureau, ouvrit la fiole et la pencha ; puis, en tapant du doigt sur la petite bouteille d'un brun translucide, il fit tomber un petit amas de poudre blanche sur son sous-main. Il se courba et aspira le monticule, un peu dans chaque narine. Ce n'était pas très élégant, mais il ne pouvait faire mieux. Il sortit d'un tiroir un petit miroir et vérifia qu'il ne restait pas de poudre sur les poils de ses narines. Il se sentait déjà mieux.

Au pied de l'escalier, il croisa Klaus.

— Monsieur, lorsque votre entretien avec la baronne sera terminé, j'aimerais vous voir un moment. Après ce qui est survenu hier soir, je crains de ne pouvoir demeurer au service de monsieur.

Grübbel n'eut même pas un geste d'impatience. La drogue l'avait miraculeusement adouci.

— Allons, mon fidèle Klaus !

— C'est que...

— Nous en reparlerons, c'est d'accord. Audience accordée ! Mais je précise qu'il s'agissait d'un incident certes malheureux mais néanmoins isolé et qui ne risque pas de se reproduire !

— Je veux bien le croire, monsieur. Car j'ai une certaine idée de l'honneur.

— Bien sûr ! Ne vous tracassez donc pas. Nous allons nous parler tout à l'heure.

Bien qu'il se sentît mieux, et même un peu euphorique, ce ne fut pas sans une certaine appréhension que Grübbel franchit le seuil du salon, comme s'il s'attendait à faire une macabre découverte. Mais, naturellement, il retrouva le salon dans son état habituel et chassa bien vite les souvenirs de la veille. Un feu de bois dansait allègrement dans l'âtre et ce bon vieux Klaus avait pensé à déposer un plateau contenant une cafetière et des tasses ainsi qu'une assiette de biscuits secs.

La baronne était assise exactement là où, la veille, se trouvait la jeune femme brune et, comme elle, Salomé fumait une cigarette. Grübbel prit une profonde respiration. Il était troublé. Les mêmes yeux d'un vert olive, la même chevelure brune aux teintes cuivrées. Sans qu'il sût pourquoi, un frisson de peur mêlé d'excitation le parcourut. Il baisa la main de la baronne.

— Quelle tête vous faites, cher ami ! Auriez-vous donc croisé un fantôme dans les couloirs de votre vieux manoir ? s'exclama-t-elle.

— Je crois que je commence une grippe, se défendit Grübbel sans grande conviction.

La baronne observa avec acuité les yeux de Grübbel, qui détourna le regard, gêné, et se mit en devoir de servir le café.

— Ou un rhume, plutôt : vous parlez du nez, dit-elle avec un sourire narquois.

— Et j'ai travaillé jusque tard hier soir. Imaginez ! Je me suis couché à l'aube !

Sa main tremblait lorsqu'il tendit à Salomé la soucoupe avec la tasse de café. Elle hocha la tête d'un air entendu.

— Et sur quoi avez-vous travaillé si tard, Hans ? Sur le cas de Dieu ?

— Oh ! celui-là... Non.

Peu à peu, son assurance chimique le quittait et il aurait aimé trouver un prétexte pour remonter dans son bureau. Il toussa et prit place lourdement dans un fauteuil avec sa tasse de café.

— « Celui-là » ! Comme vous dites la chose ! Y a-t-il un problème avec votre nouveau patient ?

Il tenta de réfléchir à toute vitesse, mais ses idées s'affolaient dans son cerveau comme les flammes hirsutes dans l'âtre. Il dut improviser :

— Je ne sais pas où je vais avec ce type. Et pour parler franchement, je doute qu'il demeure ici encore bien longtemps. J'ai comme l'impression qu'il se sent démasqué et qu'il va prendre la poudre d'escampette.

Salomé haussa les sourcils.

— Vraiment ? dit-elle. Voilà qui serait dommage. Moi qui espérais tant le rencontrer ! N'allez-vous pas me le présenter ce matin ?

Grübbel eut un geste vague. Il sentait qu'il glissait dans des eaux marécageuses prêtes à l'engloutir.

— Je crains fort que cela ne soit pas possible ce matin. Il a eu une très forte crise cette nuit et j'ai dû lui faire une injection de sédatif. Il doit dormir comme une souche en ce moment.

Il se mordit la lèvre inférieure. Que racontait-il là ? Oh que oui ! Dieu devait dormir très profondément... Il se sentit alors obligé d'ajouter :

— Oui, ma chère amie, une crise de folie qui m'a tenu sur le qui-vive toute la nuit. C'est pourquoi je suis si fatigué ce matin...

La jeune baronne s'esclaffa.

— Allons, mettez-vous d'accord, Hans! Vous avez le rhume, vous avez travaillé toute la nuit ou vous étiez au chevet de votre patient? Et puis, ne venez-vous pas de me dire que vous l'aviez démasqué? Hans, vous me cachez quelque chose!

Il tenta de sourire.

— Il y a un peu de tout ça, dit-il d'un air piteux.

Mais il voyait bien que la baronne n'était pas dupe. Salomé se leva. Son corps souple était ganté dans une robe de soie gris perle, chatoyante, ornée de dentelle noire au col et aux poignets.

— Vous ne me dites pas tout, Hans! C'est très vilain de mentir... Ce que je crois, c'est que vous êtes un égoïste qui veut garder Dieu pour lui seul.

Grübbel allait se défendre lorsque, sans crier gare, son patient entra dans le salon, assez dépenaillé, les cheveux en bataille, le menton et les joues noircis de barbe, les vêtements froissés. D'une voix éraillée, il dit:

— Quel mal de tête! On dirait qu'elle va exploser! Hans, mon vieux, n'avez-vous pas encore un peu de... Oh! Vous n'êtes pas seul... Excusez-moi, madame...

Salomé von Pappenheim regarda successivement le nouvel arrivant et le docteur Grübbel. Celui-ci, confus, amorça les présentations qui furent terminées par le patient lui-même:

— Dieu... fit-il en se courbant pour un baise-main.

141

Départ précipité

Le patient avait un sourire victorieux sur les lèvres. Ce sourire était d'autant plus choquant qu'il n'était guère présentable, ce qui eut pour effet de faire monter d'un cran la rage de Grübbel. Comment osait-il faire le mondain alors qu'il était aussi fripé? C'était de l'arrogance pure et simple! En vérité, tout ce qu'il voulait, c'était le discréditer, lui, Grübbel, l'humilier devant la baronne, devant Salomé! Voilà le nouveau tour que cet homme cherchait à lui jouer.

— Excusez l'allure de mon patient, baronne. Il a eu une très mauvaise nuit, dit alors avec précipitation Grübbel en se levant d'un bond. Venez, monsieur, je vais vous donner quelque chose pour votre migraine.

Mais le patient ne l'entendait pas de la sorte. Il était devenu tout sourire et tout miel. D'ailleurs, il tenait toujours la main de la baronne dans la sienne lorsqu'il rétorqua :

— Migraine? Quelle migraine? Elle a disparu docteur, et le médicament est en face de moi...

N'était-ce pas l'outrager? Déjà, Grübbel s'avançait vers lui pour le saisir par le bras et le tirer à l'extérieur de la pièce.

— Vous n'êtes pas dans votre état normal, laissez-moi vous donner quelque chose.

— Allons donc! Je suis aussi bien que vous pouvez l'être puisque nous avons passé la nuit ensemble, et encore... en charmante compagnie!

C'en était trop. Grübbel s'indigna:

— Monsieur, vous êtes un farceur! Un bouffon!

Le patient se retourna vers lui.

— Ça alors! Vous m'étonnez, Hans! Nous avons passé la nuit à nous faire des confidences après le départ des demoiselles et ce, dans la plus cordiale des dispositions, et voilà que ce matin, vous me traitez comme un malpropre. C'est indigne d'un homme de votre classe. Regrettez-vous donc notre petite soirée? En auriez-vous honte? Peut-être voulez-vous une autre fois le revolver? Mais, cette fois-ci, tâchez de contrôler votre rage et d'être plus précis lorsque vous tirez! Regardez-moi ce trou dans le mur... Franchement!

Puis se tournant vers la baronne:

— Ainsi, voilà donc Salomé... dont vous m'avez tant parlé cette nuit, Hans! Et en termes si élogieux... Quel plaisir de vous rencontrer en chair et en os, madame la baronne.

Sur ces mots, il se courba à nouveau.

Salomé dévisageait le patient avec une telle intensité que Grübbel en fut atterré. Puis la baronne devint si confuse, si nerveuse, qu'elle se mit à chercher son sac à main dans la pièce en balbutiant:

— Mon sac... ah! voilà! Je... je dois partir, docteur Grübbel. Veuillez m'excuser, une urgence que j'avais oubliée!

La baronne sortit de la pièce comme si elle fuyait quelque danger, visiblement troublée au plus haut point.

Grübbel demeura interdit au milieu du salon tandis que le rire de son patient fusa.

— Tout compte fait, je prendrais un petit quelque chose pour ma pauvre tête, dit le patient. Hans! Ne trouvez-vous pas que Salomé ressemble à s'y méprendre à la petite brunette d'hier soir avec qui vous...

— Bouclez-la, nom de Dieu!

Il voulut rattraper la baronne qui sortait déjà du manoir lorsqu'il fut rejoint dans le hall par Klaus. Celui-ci avait une petite valise à la main.

— Je dois absolument parler à monsieur, dit le valet.

— Pas maintenant, Klaus! Pas maintenant!

— Oh! si, maintenant! Car il n'y aura pas d'autres occasions : je quitte le service de monsieur.

Grübbel s'immobilisa, foudroyé par ce que venait de lui annoncer Klaus. Quoi? Son bon vieux Klaus voulait le quitter? C'était insensé!

— Monsieur, outre le fait que je ne suis plus de la prime jeunesse, je crains fort de ne pouvoir demeurer, eu égard à la scène scandaleuse d'hier soir.

— Allons, Klaus! Que s'est-il donc passé de si terrible? Une petite rigolade...

— Rigolade, monsieur? Monsieur a tiré un coup de feu sur son patient... Rigolade? Monsieur s'est enivré chez lui avec son patient et deux prostituées... pour ne rien dire du vacarme et des scènes scabreuses. Rigolade? Alors monsieur a un sens de l'humour que je ne partage pas. J'enverrai des gens chercher mes effets personnels cette semaine. Voyez-vous, monsieur, je voulais bien travailler dans une maison de fous, mais certainement pas dans une maison de débauche!

Sur cette dernière remontrance, Klaus sortit, digne et hermétique. Grübbel demeura perplexe au milieu du hall, le menton dans une main. Puis il lâcha de nouveau un juron.

Illumination sur un sofa

Grübbel était étendu sur le sofa de son bureau à l'étage. Sa tête reposait sur l'accoudoir et, à côté, sur une petite table de cuivre ronde était déposé un verre de brandy et une petite fiole de cocaïne.

Il nageait en pleine confusion.

D'abord ceci : pourquoi Salomé était-elle partie avec une telle précipitation ? En cherchant une réponse qu'il savait ne pouvoir trouver que dans la bouche même de la baronne, Grübbel revoyait le regard qu'elle avait posé sur son patient. Un regard intense, mélange de surprise et d'incrédulité, qui avait été suivi d'une si forte émotion que la baronne avait dû fuir. Qu'avait-elle donc vu sur ce visage ?

Puis il songea à son patient. Pourquoi celui-ci avait-il insisté sur les détails de la soirée de la veille, sinon pour lui nuire, pour ternir son image, sa réputation auprès de Salomé ? Oui, il n'y avait plus aucun doute possible : cet homme était dangereux. D'ailleurs, n'était-ce pas sa faute si son cher vieux Klaus était parti ? Il fallait bien se rendre à l'évidence : son pseudo-patient lui avait tendu un traquenard ; c'était une odieuse machination de sa part. Mais dans quel but tenait-il tant à le discréditer? Était-ce pure méchanceté? Grübbel n'ignorait pas qu'il existait chez certains individus une force indomptable qui les poussait à la vilenie, à faire le mal par pur plaisir et sans qu'il y ait apparemment de motivation consciente. Apparemment... car en fait, ce désir de faire du mal à autrui, de l'humilier et de le rudoyer, avait certainement une source cachée. En général, se mit alors à élaborer Grübbel, ces personnes s'attaquaient à ceux dont ils redoutaient l'esprit, le caractère opiniâtre, sans doute par pure jalousie et sentiment d'infériorité. Ainsi, pour résumer, se dit encore Grübbel étendu sur son sofa, il s'agissait de comprendre pourquoi son patient, se sentant diminué face à son médecin, cherchait à lui nuire et à le rendre odieux aux yeux des autres, et plus particulièrement à ceux de la baronne. Car il savait à présent qu'en frappant là justement, il le faisait souffrir au plus haut point. Certes, tout cela, d'un point de vue clinique, était d'un extrême intérêt.

Puis Grübbel revit en pensée le corps de Greta et tout son être en fut secoué. Il se saisit alors de son verre pour chasser l'image de la femme perverse. Combattre le feu par le feu.

Il revit alors le revolver qu'il avait pointé sur son patient et entendit à nouveau la réplique de celui-ci: «Vous ne pouvez pas me tuer! Je suis Dieu!» Malgré tout, Grübbel avait appuyé sur la gâchette alors qu'il regardait Greta et son briquet. Le coup était parti, ratant de loin son patient. La balle avait fracassé un vase chinois et s'était enfoncée dans le plâtre du mur. Il y avait eu ensuite un long silence durant lequel chacun était demeuré figé, puis la blonde, Liliana, était partie d'un éclat de rire hystérique. Greta, pour sa part, n'avait pas bronché et avait continué à fumer tranquillement la cigarette qu'elle venait d'allumer.

— Que vous avais-je dit, hein? s'était extasié son patient.

— Alors, ce champagne? avait demandé Greta d'une voix rauque où régnaient des sommets de froideur, d'indifférence et de lassitude.

Grübbel avait alors baissé le bras et laissé tomber l'arme sur le tapis. Oui, il avait ressenti le besoin de boire quelque chose. Il était encore sous le choc d'avoir tiré. Il s'était donc dirigé vers la porte du salon et, en l'entrouvrant, avait aperçu Klaus, blême, qui se trouvait dans le couloir.

— Klaus, apportez-nous du champagne et quatre coupes.

Bien sûr, impossible de le nier, c'était lui, Grübbel, qui avait appuyé sur la gâchette. Mais, à y repenser à présent sur son sofa, il lui semblait que l'ordre était venu de Greta. Avait-elle fait un signe d'encouragement? Un mouvement de tête ou du menton qui aurait voulu dire: «Mais allez-y donc!» Or, tout ce dont il se souvenait, c'était l'image obsédante de la flamme du briquet. Puis la détonation était survenue, presque contre son gré, contre sa volonté.

Grübbel but une gorgée de brandy. Il songea encore une fois à l'aspect physique de son patient. Ce dernier ne ressemblait plus du tout à Freud, surtout depuis qu'il avait coupé sa barbe et ne portait plus de lunettes. Pourtant, ce matin, lorsqu'il avait fait irruption pendant la visite de Salomé, sa barbe était revenue, une barbe encore naissante mais néanmoins assez forte et noire pour qu'il eût l'air couvert de suie sur les joues, le menton et le cou. De la sorte, il ressemblait à un clochard ou un aventurier. Rien à voir avec Freud. Mais n'y avait-il pas autre chose à découvrir dans ce visage? Peut-être une autre ressemblance qui lui échappait pour l'instant? Une autre ressemblance... mais Salomé! Elle! Salomé! Elle avait reconnu ce visage! Voilà ce qui avait sans doute causé sa vive émotion: elle connaissait cet homme! Et pourquoi s'était-il montré si ironique? Parce que lui aussi connaissait Salomé!

Comment n'y avait-il pas songé sur le coup?!

Mais surtout, comment cela pouvait-il être possible? Un imposteur, cet homme l'était assurément, mais *qui* était-il donc en vérité?

Oui, Salomé l'avait reconnu...

Grübbel se dressa vivement sur son séant, comme s'il venait de recevoir un électrochoc, et vida d'un trait son verre de brandy. Puis, avec résolution, il plongea la petite cuillère à priser dans la fiole de cocaïne: une dose dans chaque narine. Alors, son esprit se mit à fonctionner à toute allure, lucide et implacable, clair et net, précis comme son cher héros londonien, Sherlock Holmes.

Si Salomé et son patient se connaissaient bel et bien, alors il n'y avait qu'une seule possibilité et celle-ci expliquait avec éloquence le trouble qui avait saisi Salomé.

Comment avait-il pu être aussi dupe! Car l'ironie du faux patient s'en trouvait également expliquée. Comment avait-il pu confondre Freud et cet homme? Bien sûr, Grübbel hésitait encore, mais il croyait que la solution du mystère trônait en évidence sur le piano de Salomé: la photo du baron Ludwig von Pappenheim. Dieu!

Science et spiritisme

Il faisait déjà nuit lorsque le docteur Grübbel se précipita à l'écurie. De gros flocons de neige tombaient, lourds et épars. Stefan, le palefrenier et homme à tout faire, était assis sur une caisse de bois et fumait sa pipe. C'était un fort gaillard, taciturne, sauf pour rouspéter, qui avait autrefois travaillé à l'auberge de S. avant que Grübbel ne l'embauche.

— Stefan! Mon cheval! lui lança ce dernier en faisant irruption dans l'écurie.

— Peux pas, répondit-il en regardant fixement Grübbel.

— Et pourquoi donc? s'offensa le docteur.

— L'autre, votre ami, il est parti avec.

— Mon ami? Vous voulez dire mon patient? Il est parti avec mon cheval? Et où allait-il donc?

— Je crois qu'il allait à S. Il voulait même que j'aille avec lui. À l'auberge, qu'il disait, voir les gueuses...

— Nom de... Bon, ça va. Selle-moi un autre cheval!

— D'accord...

Une fois monté sur une vieille jument, Grübbel partit en direction du manoir de la baronne. Mais la monture rétive et entêtée trottait peureusement dans la neige tourbillonnante, ce qui mettait Grübbel au supplice, lui qui était si pressé d'arriver. Quel Don Quichotte il faisait! pensa-t-il. Allez, hue, Rossinante, hue!

Ah! Ah! Le baron Ludwig von Pappenheim! Avec son propre cheval! Naturellement, le baron se ferait un plaisir de laisser ce dernier bien en évidence devant l'auberge, afin que les passants qui connaissaient la monture de Grübbel pensent que le bon médecin était là, bien au chaud et en train de s'encanailler avec des putains!

Mais force lui était d'admettre que le baron ne faisait que se venger. Car voilà qu'il revenait enfin d'une longue expédition en Afrique du Nord, où on l'avait cru mort, et que trouvait-il à son retour? Sa femme dans les bras d'un autre! Alors, n'était-ce pas que justice de torturer l'amant? La vengeance devenait une probabilité assez forte et, pour tout dire, logique. Seulement, la relation que lui-même entretenait avec la baronne était plutôt ambiguë. Pouvait-on même parler de relation en un pareil cas de figure? Salomé chérissait trop son indépendance et n'accordait qu'au compte-gouttes ses faveurs à Grübbel. Mais voilà: elle les accordait. Alors pourquoi Ludwig von Pappenheim usait-il d'un aussi grossier stratagème? Pourquoi n'était-il pas tout simplement retourné vers Salomé? Et comment avait-il appris les liens qui les unissaient, elle et Grübbel? Après tout, ils ne s'affichaient pas. Les avait-il épiés? Avait-il des espions à sa solde? Pourquoi cette mise en scène machiavélique du patient prétendant être Dieu?

Alors Grübbel songea de nouveau à la scène de la veille dans le salon. Que serait-il arrivé s'il l'avait tué? Le baron préférait-il donc mourir plutôt que d'être trompé? Et mourir de la main même de l'amant de sa femme? Voilà qui était fort intéressant du point de vue psychologique, se dit Grübbel, que le pas lent de son destrier plongeait peu à peu dans un état de rêverie méditative. Chez les individus volontairement méchants, destructeurs, il y avait bien souvent une autre tendance, à l'opposé du spectre, qui coexistait: une force d'autodestruction, d'autohumiliation. Cette seconde force ne se dirigeait plus vers le rival supposé, mais vers ce que l'individu, le spolié, avait de plus cher au monde. En supposant que ce fût le cas, les choses se présentaient ainsi: le baron von Pappenheim cherchait à nuire à Grübbel, car celui-ci lui avait volé Salomé. Il devait le percevoir comme un homme supérieur dont sa femme s'était éprise, et c'est pourquoi le baron s'ingéniait à rendre Grübbel ridicule en ternissant sa réputation. D'autre part, von Pappenheim cherchait sa propre humiliation afin de souffrir et faire souffrir sa femme par la vision de son avilissement. Une espèce de suicide social (et n'était-ce pas le propre du suicide de faire souffrir l'autre par la mort que l'on s'infligeait à soi-même?). Oui, c'était donc cela... Tout se tenait! Mais quelles autres idées, quelles autres farces grotesques se préparaient encore dans le cerveau ébranlé du baron? Et pourquoi avoir choisi ces deux prostituées dont l'une, justement, ressemblait si étrangement à Salomé?

Et si Greta n'était que Salomé déguisée de façon rudimentaire?

Et le revolver ? Qui donc l'avait ramassé sur le tapis ? Grübbel n'arrivait pas à s'en souvenir.

Un domestique s'approcha alors qu'il faisait son entrée dans la cour intérieure du manoir. Il descendit de sa monture et lui donna les brides. Comme à son habitude, il alla directement au salon en demandant à un laquais de prévenir la baronne de sa présence. Une fois au salon, il s'empara de la photo sur le piano. Il demeura médusé. La photo, bien entendu, datait de quelques années et n'était pas d'une grande netteté. De plus, le baron portait un casque colonial qui cachait partiellement sa figure et jetait une ombre sur celle-ci. Mais, tout compte fait, l'homme apparaissant sur cette photo pouvait bien être le même qui prétendait être Dieu. *Pouvait...* voilà le hic, se dit Grübbel. Il lui faudrait interroger Salomé, peut-être même demander à voir une autre photographie où le baron apparaissait plus clairement. D'ailleurs, ne lui avait-il pas proposé de lire ses lettres ? Il était persuadé que s'il pouvait jeter un coup d'œil à cette correspondance, il saurait retrouver le ton de son patient.

Le laquais revint l'informer que Madame était souffrante et ne pouvait descendre. Cependant, elle priait le docteur de bien vouloir monter dans son boudoir où elle le recevrait. Autant dire que Grübbel s'y précipita. Son esprit était en marche, son corps suivait. Toute la machination, dont il ne doutait plus, bien qu'il lui en manquât la preuve formelle, lui apparaissait clairement. Sa lucidité, sa force de réflexion, sa capacité à percer l'âme humaine le transportaient d'aise tout en affermissant sa résolution. Car il n'en doutait plus à présent : son combat avait débuté. Un combat plutôt singulier, il l'admettait bien volontiers, et dont il n'avait pas choisi le terrain, mais un combat dont il se faisait fort d'anticiper toutes les embûches, car non, décidément, jamais un esprit malade ne pourrait avoir le dessus sur lui, bien qu'un tel esprit eût parfois des ressources frisant l'intelligence. En fait, ce que l'on prenait pour de l'intelligence chez les esprits ébranlés prêts aux pires forfanteries, c'était leur imprévisibilité. Et le rôle, le devoir de Grübbel en tant que médecin et en tant qu'homme, était de prévoir avec logique, de déjouer les coups de l'adversaire – un homme mentalement dérangé pour diverses raisons, par ses voyages exotiques, parce qu'il avait perdu sa femme, parce qu'il sentait que sa vie était un énorme et ridicule gâchis, un monumental mensonge. Oui, tel était l'état d'esprit du baron Ludwig von Pappenheim, à n'en pas douter. Et lui, Hans Grübbel, n'allait pas se laisser faire et risquer de perdre Salomé. D'ailleurs, comment une brute aussi méprisable pouvait-elle croire qu'elle viendrait saboter son amour pour la jeune femme ?

Il trouva la baronne étendue sur une ottomane dans son boudoir. Elle était en robe de nuit et ses cheveux défaits lançaient des éclats cuivrés. Ses yeux agrandis montraient des traces de larmes récentes. Elle se mordillait la peau d'un doigt près de l'ongle et ne disait rien.

— C'est lui, n'est-ce pas ? s'écria Grübbel en brandissant la photo qu'il avait prise sur le piano.

Elle hocha la tête sans proférer un mot.

— Je le savais ! J'en étais sûr ! Le monstre ! La brute !

Mais, contre toute attente, Salomé se rebella aux dures paroles du docteur Grübbel.

— Quoi? Brute? Monstre? Pourquoi dites-vous cela? Ne comprenez-vous donc pas qu'il m'aime?

Eût-il reçu un coup de poignard en plein cœur que le docteur Grübbel n'eût pas été plus blessé et chancelant sous l'effet de ces simples mots. Elle l'aimait donc, ce farceur, ce bouffon immoral? Un homme qui l'avait sacrifiée pour courir l'aventure et aller vers les caresses de femmes impudiques à la peau noire? Comment pouvait-elle oublier cet affront, cette infidélité, ce manque total de respect que lui, Hans Grübbel, n'oserait jamais lui infliger, car elle était son âme et son air, la déesse qu'il adorait à la folie, à en perdre la tête, oui, à en devenir fou! Fou! Lui! Hans Grübbel! Le docteur Hans Grübbel!

Il balbutia de rage et de confusion tout en cherchant instinctivement la fiole de cocaïne dans les diverses poches de ses vêtements.

— Je suis... je... je suis confus! Je n'arrive pas à croire que vous éprouvez quelque sentiment que ce soit pour ce... bouffon! Ne vous rendez-vous pas compte de ce qu'il essaie de faire? C'est d'une abjection sans nom! Il agit avec une malice dégoûtante et infernale!

— Hans! Vous parlez de mon mari!

Enfin! La fiole! Mais il était si nerveux qu'elle lui échappa et roula sur le tapis jusqu'aux pieds de Salomé. Elle la récupéra et, un fin sourire sur les lèvres, la fit rouler rêveusement entre deux doigts. Puis elle posa son regard sur Grübbel, un regard empreint de malice. Grübbel se mit à faire les cent pas.

— Mais vous m'aviez dit qu'il était mort! Est-il mort oui ou non?! fit-il en se retournant brusquement vers elle.

Elle se pinçait une narine et reniflait profondément de l'autre. Avec un sourire de connivence, elle lui tendit la fiole.

— Hans! Hans... murmura-t-elle en se laissant retomber sur le sofa.

Un sourire béat découvrait l'éclat de ses dents blanches qui tranchait sur l'incarnat des lèvres. «Un troupeau de brebis...» songea Grübbel. Puis elle dit:

— Que sait-on d'un homme, mort ou vif?

Elle fut secouée d'un rire. Grübbel était de plus en plus irrité.

— Vous trouvez la situation comique? Salomé! Cet homme cherche à nous faire du mal!

La baronne se remit sur pied et alla devant l'âtre du boudoir. Elle regarda pendant quelques secondes les flammes pointues s'agiter frénétiquement.

— Salomé, auriez-vous une autre photographie de lui afin que je puisse juger par moi-même? demanda Grübbel d'une voix qu'il voulait la plus calme possible.

— C'est inutile, répondit-elle.

— Vous semblez en être bien persuadée.

Elle se retourna vers Grübbel tout en déposant un bras sur le manteau de la cheminée.

— Ce n'est pas lui, dit-elle d'une voix assurée.

Hans Grübbel crut d'abord qu'il avait mal entendu. Puis il se dit qu'elle avait fait un lapsus. Mais son regard plein de fermeté lui disait le contraire: il avait bien compris. La phrase contenait une force butée. Alors il secoua la tête et dit:

— Mais je croyais que... qu'à l'instant vous veniez de dire...

Un sourire triste se dessina sur la bouche de la baronne avant qu'elle ne dise :

— Il est mort, je le sais…

— Comment pouvez-vous en être certaine ?

— J'ai communiqué avec son esprit.

— Oh non ! Non ! Salomé !

La déception faisait place maintenant à l'irritation. Déjà, au cours de l'été, la baronne et Grübbel avaient eu de nombreuses discussions à ce sujet. Salomé et lui s'étaient même brouillés, brouille qui au demeurant n'avait duré que trois ou quatre jours, avant que Grübbel, mettant de l'eau dans son vin, ne fît amende honorable, ce qui (il le reconnaissait en lui-même) était une hypocrisie, un sacrifice sur l'autel de sa passion. Mais à cet instant, oubliant la concession accordée quelques mois plus tôt, Grübbel soupira :

— Je vous l'ai déjà dit, Salomé, ne cherchez pas de réponses hors de la science ! C'est une illusion.

Mais elle n'avait pas oublié et ne se gêna pas pour le lui rappeler :

— Quoi ? Vous revenez sur vos propos ? Avez-vous oublié vos propres paroles ? Que vous m'accordiez le bénéfice du doute ? Vous m'aviez même cité un philosophe français… Pascal, il me semble : « Puisque notre regard s'arrête là pour l'instant, que notre imagination passe outre ! » Revenez-vous donc sur vos paroles, Hans ?

La peste soit de Pascal, pensa Grübbel. Pourquoi avait-il cité cet auteur qu'il n'aimait pas particulièrement ?

— Vous disposez du mot « imagination » à votre convenance, ma chère.

Salomé s'approcha de lui et prit son visage entre ses mains.

— Hans, il est mort. Ludwig est mort.

Au cours de l'été, alors que de plus en plus fasciné par Salomé, Grübbel lui rendait régulièrement visite et apprenait à la connaître, il avait constaté que la baronne avait un faible pour l'ésotérisme et les tables tournantes en particulier. En ce qui le concernait, ces histoires de fantômes, à la mode en Angleterre surtout, étaient des fadaises et une réaction contre la science qui gagnait du terrain dans toutes les sphères de la pensée, pour le plus grand profit de l'humanité. Il semblait bien que certaines personnes ne pouvaient se passer du merveilleux et trouvaient en la science un rabat-joie, un sapeur de rêves. Il excusait Salomé en se disant qu'elle n'était pas comme les autres, ces bonnes bourgeoises voulant vivre des émotions fortes, mais qu'elle était de nature plus mystique. Il savait bien, pourtant, qu'il poétisait par passion un trait de caractère qui l'eût horripilé chez tout autre et en d'autres circonstances. Un jour qu'elle lui affirmait avoir communiqué avec l'esprit de son défunt mari au cours d'une séance de spiritisme à laquelle participaient quelques autres notables du coin, Grübbel s'était gentiment moqué d'elle, puis, la conversation ayant pris une tournure plus sérieuse, il lui avait exprimé franchement ses idées sur le sujet, à savoir qu'il ne s'agissait que d'illusions provoquées par le désir de communiquer à tout prix avec un être cher, mais en aucun cas d'une véritable conversation avec un mort. Salomé s'était alors emportée :

— Vous et votre science! Vous avez toujours une explication psychologique à donner! Bien sûr, c'est votre métier... Mais que valent vos explications face à l'inexplicable? Cela revient encore à une question de foi. Vous avez foi en la science, voilà tout!

C'était de là qu'était venue la brouille. Une fois de retour chez lui, Grübbel s'était amèrement repenti d'avoir été aussi tranchant, aussi honnête. Cela ne pouvait que le desservir auprès de Salomé. Aussi, quelques jours plus tard, avait-il fait acte de contrition:

— Bien sûr, la science n'explique pas tout. Vous avez raison de le souligner. J'ai été trop catégorique lors de notre dernière conversation sur le sujet. D'ailleurs, comme Pascal le disait...

Et voilà qu'à nouveau il devait faire un effort pour ne pas s'indigner, car au fond de lui-même il était persuadé que le spiritisme était une farce pour esprits faibles. Il réussissait pourtant à tempérer son jugement en se disant que Salomé était victime de son imagination et qu'il ne fallait pas juger un symptôme, mais découvrir pourquoi il apaisait, de quelle maladie des nerfs il était la manifestation. Il fallait agir avec circonspection.

— D'accord... mon patient n'est pas votre mari puisque celui-ci est décédé... Mais alors, qui est-ce? Et je vous en supplie Salomé, réfléchissez avant de dire que c'est Dieu!

Elle tenait toujours entre ses mains le visage de Grübbel et le regardait fixement, les yeux ronds telle une possédée:

— Ce n'est pas lui *vivant*...

Lentement, Grübbel posa ses mains sur les poignets de la baronne. Il les y laissa trois ou quatre secondes alors qu'il la regardait fixement, auscultant pour ainsi dire les yeux démesurés de Salomé comme s'il avait pu y lire quelque chose, puis d'un geste brusque il éloigna les mains de la baronne de son visage.

— Ne me dites pas que vous croyez... commença-t-il d'une voix à la fois éteinte et chevrotante.

Il ne termina pas sa phrase. À quoi bon ? Salomé von Pappenheim hochait la tête comme si elle se mettait d'accord avec la fatalité.

— Oui, dit-elle enfin d'une voix douce et sereine, cela ne peut être que son spectre.

Grübbel laissa fuser un rire explosif, incontrôlé, et eût-il pu l'entendre de l'extérieur, en simple spectateur de la scène, qu'il n'eût pas hésité à le qualifier de dément. Puis il se remit à arpenter la pièce en tous sens, se tapant parfois la cuisse, parfois le front, comme en proie à un délire.

— Mais bien entendu ! Comment n'y ai-je pas songé plus tôt ? Suis-je assez naïf ! Cet homme, Dieu ! Allons donc ! Et dire que l'explication était si simple !

Il se figea devant la baronne et dit d'une voix déformée par la raillerie :

— Ce n'est même pas un homme ! C'est le spectre de feu le baron Ludwig von Pappenheim ! Le spectre du baron ! Et encore ! Venu réclamer vengeance ! Car le spectre est jaloux ! Le spectre du baron Ludwig von Pappenheim... jaloux !

Sans doute Salomé allait-elle répliquer, mais à cet instant on frappa trois coups sourds à la porte du boudoir.

Un palefrenier mal en point

— Madame! Madame! Il y a ici Stefan, le palefrenier du docteur. Il est blessé! Vite! cria-t-on d'une voix désespérée.

Grübbel et Salomé regardèrent la porte comme si elle eût pu leur en apprendre davantage. Puis, sortant de leur léthargie, ils bondirent tous deux dans sa direction, mais ce fut Grübbel qui l'ouvrit. Une jeune soubrette désemparée se trouvait là, les larmes aux yeux. Elle balbutia:

— Il est blessé! Il a du sang sur sa chemise et sa figure est tout enflée! Vite docteur, vous devez l'aider! Nous l'avons installé à la cuisine, près du feu...

— Oh! mon Dieu! s'exclama la baronne.

— Mais qu'est-ce que cela veut dire? bredouilla Grübbel en se précipitant vers la cuisine.

Il trouva Stefan allongé sur trois chaises qu'on avait rapprochées. Sa chemise était en effet couverte de sang et son visage, horriblement tuméfié. Il geignait et respirait difficilement. Grübbel s'agenouilla près de lui et demanda qu'on lui apporte des linges et de l'eau chaude ainsi qu'un flacon d'alcool.

— Mon pauvre Stefan! Dans quel état êtes-vous! Que vous est-il arrivé? Des ciseaux! Qu'on m'apporte des ciseaux!

Il découpa la chemise de Stefan et éponge le sang qui ruisselait sur sa poitrine, à la recherche de la blessure qui provoquait une telle hémorragie.

Salomé, dans un coin de la pièce, sidérée et tremblante, avait posé une main sur sa bouche et l'autre sur sa poitrine pour tenter de contenir l'émotion qui l'étreignait.

Tant bien que mal, Stefan tentait de répondre à la question du docteur Grübbel.

— C'est… c'est… votre patient.

Les mains de Grübbel se mirent à trembler de façon incontrôlable. La rage et la peur se mélangeaient en lui. Il venait de découvrir la blessure au milieu de la poitrine, un peu sur la gauche et légèrement en bas du cœur. Un trou somme toute assez petit, noirci sur le pourtour. Balle de revolver, conclut aussitôt le médecin.

— Il vous a tiré dessus, n'est-ce pas? Mais pourquoi? Pourquoi!

Le sang continuait à s'épandre malgré la compresse. Il n'y avait pas beaucoup d'espoir.

— J'étais à couper du petit bois dans la remise... et puis je suis revenu vers l'écurie... J'ai vu votre cheval, je suis entré, et il était là...

Stefan hoqueta. Du sang lui sortit de la bouche, un sang épais, d'un rouge noirâtre; Grübbel détourna le regard. Stefan reprit enfin son souffle et cracha.

— Il est entré dans une rage folle, poursuivit-il. Il m'a frappé au visage avec une petite bûche. Il criait que je devais me taire, qu'il me ferait taire pour de bon, que je n'aurais pas dû le voir en train de faire ça... dans l'écurie... Alors il a sorti de sa poche un petit revolver...

Stefan s'arrêta et ses mains agrippèrent la chaise. Tout son corps se crispa mais il réussit à ajouter, après une autre quinte de toux sanglante :

— Je n'arrive plus à respirer ! Je vais mourir ! Je vais mourir !

— Mais non ! Calmez-vous ! Vous allez vous en sortir...

Grübbel avait dit cela avec une pointe d'agacement. Maintenant, il épongeait le front du pauvre homme et se penchait vers lui.

— Et... que faisait-il donc ? Que faisait-il que vous n'auriez pas dû voir ?

Les lèvres de Stefan dessinèrent des mots, mais aucun son ne sortit de sa bouche.

— Qu'avez-vous vu, Stefan ? Pourquoi est-il entré dans une telle rage ?

Grübbel pencha son oreille vers la bouche ensanglantée. Et il entendit :

— Il était à genoux... et il... il... il priait !

Stefan prit une grande respiration, la retint de longues secondes, et expira. C'était fini.

Grübbel demeura immobile à son chevet. Il était fasciné par ces yeux ouverts sur le néant, ces yeux inutiles, ces yeux dont l'une des dernières visions avait été l'image de Dieu priant à genoux... Tout cela tournait dans sa tête en une ronde folle et macabre et l'étourdissait. Puis il leva ses mains et vit qu'elles étaient maculées de sang poisseux, le sang d'un homme mort qui se trouvait juste devant lui. Un violent haut-le-cœur le foudroya et il vomit à côté du cadavre. Il se releva rapidement et s'éloigna.

— Fermez-lui les yeux! Fermez-lui les yeux! s'écria-t-il en gagnant le salon.

— Jamais de la vie! protesta la soubrette.

— Alors, jetez un drap sur lui! s'impatienta Grübbel.

Au salon, il se laissa tomber dans un fauteuil et enfouit sa figure dans ses mains, oubliant qu'elles étaient couvertes de sang. Oh oui! Cet homme était fou! Fou et dangereux! Il fallait prévenir la police... C'était un meurtrier à présent. Ah! le revolver! C'était donc lui, son patient, qui l'avait ramassé...

Il entendit des bruits de pas. Il releva la tête. Salomé était devant lui.

— Oh! mon Dieu! s'exclama-t-elle en voyant le visage de Grübbel.

— Quoi encore? souffla-t-il à bout de force.

— Votre visage…

Elle le prit par le bras et l'entraîna vers la salle de bain. Elle mit de l'eau dans un grand bol et lui tendit une serviette.

— Débarbouillez-vous et venez me rejoindre dans mon boudoir.

Elle sortit.

Grübbel leva les yeux vers le miroir et éclata d'un rire atroce. Son visage taché de sang lui sembla être celui d'un clown pathétique.

Devant le miroir

Le miroir est un bien étrange objet, se disait-il en observant son reflet après s'être lavé la figure. Il avait souvent l'impression d'y voir un étranger, comme en ce moment. Son visage lui était certes familier, mais il y avait comme une *distance* entre lui et *l'autre*. Pourquoi était-ce donc ainsi ? De plus, à bien y réfléchir, ce n'était pas un phénomène épisodique, mais plutôt invariable. Il en avait toujours été ainsi, pour peu qu'il prît la peine de s'observer scrupuleusement dans une glace.

Il pouvait presque le trouver sympathique, ce visage. Il en aimait les sourcils bien dessinés, les lèvres pleines, les yeux aux paupières tombantes qui lui donnaient un petit air rêveur. Mais rien ne pouvait atténuer l'étrange sensation de se trouver face à quelqu'un d'autre. Il lui fit un sourire. Mais le sourire que renvoya le reflet ne lui plut pas. Ce visage semblait celui d'un inconnu qui cherchait à usurper son identité avec maladresse. Il lui fit une grimace.

« Tu es moi », dit-il au reflet. Mais le reflet lui répondit : « Tu es moi », et il sentit un mouvement de révolte naître en lui. Non, il n'était pas, il ne *pouvait* pas être ce type qu'il voyait. Pourquoi ne se ressemblaient-ils pas? Cet homme, dans le miroir, était perdu dans sa solitude, la solitude du miroir qui ne renvoie pas l'image inversée du monde, mais plutôt l'image d'un *autre* monde. Car, après tout, le miroir n'était qu'un tout petit point de convergence entre ces deux mondes. À cet instant, Grübbel fut persuadé que s'il eût pu faire quelques pas dans l'univers du miroir, hors du champ projeté, il se serait trouvé bien loin de la demeure de la baronne. Sûrement dans une demeure bien plus mystérieuse et pleine de dangers obscurs... Oui, il en avait la certitude. À moins... à moins qu'il ne fût déjà de *l'autre côté*, et que le monde réel, solaire et souriant, fût en fait dans le miroir. Et si c'était lui, le reflet?

Il s'observa à nouveau de près. C'était incontestable: il ressemblait de plus en plus à son père à mesure que les années passaient et bientôt il y aurait cette chose absurde et révoltante: il ressemblerait à son père vieux, son père qui ne le fut jamais... Il finirait par être plus vieux que son père.

Il frissonna. Il venait de repenser aux histoires de spectres et il s'attendait maintenant à voir surgir dans le miroir celui de son père. Était-ce donc cela qui était caché dans la partie inaccessible du miroir? Le royaume des morts? Le royaume de l'oubli? De tout ce qui a disparu pour nous, laissant à peine des traces dans notre âme, des traces confuses, difficilement déchiffrables?

Et, à bien des égards, n'était-ce pas le rôle qu'il s'était donné, c'est-à-dire de tendre un miroir à ses patients, de les obliger à y entrer et d'aller explorer ce qui était hors champ?

Que lui aurait dit le spectre de son père? Il baissa les yeux et aperçut le bol de porcelaine où l'eau rougie de sang miroitait... Il releva les yeux. Puis, derrière son reflet, il vit le visage de Dieu qui grimaçait. Il se retourna vivement mais dut convenir qu'il était bel et bien seul.

Je deviens fou, dit-il au reflet.

Les spectres n'existent pas.

Dieu...

Qu'avait donc dit le pauvre Stefan avant de mourir? *Il priait.* Il y avait là quelque chose de choquant. Comment cela pouvait-il être une raison suffisante pour abattre quelqu'un? Être surpris en train de prier? Mais naturellement, cet homme n'était pas Dieu. C'était, ce devait être le baron, après tout. Un baron fait de chair et de sang. Mais pourquoi avoir tué Stefan? Ce vigoureux jeune homme... Il y avait une explication. Et cette explication, Grübbel pouvait la comprendre parce qu'il avait déjà éprouvé ce sentiment dévastateur qui rend fou : la jalousie. Car, oui, lui aussi avait été jaloux et meurtri le jour où il avait surpris Salomé et Stefan dans l'écurie. Mais enfin, il n'avait tué personne, lui, bien que cruellement blessé. Et cela venait à nouveau le hanter. La blessure s'ouvrait et l'image s'imposait sordidement à sa conscience : Salomé assise sur une botte de foin, les cuisses bien écartées, et Stefan, pantalons sur les chevilles, les fesses blanches bougeant frénétiquement entre les jambes de la baronne. Tout ce qu'il désirait et n'arrivait pas à posséder...

Oui... Les spectres existaient bel et bien.

Le spiritisme dans le boudoir

Lorsque Grübbel regagna le boudoir de la baronne, l'agitation qui s'était emparée de lui devant le miroir se poursuivit avec la vision qu'il embrassa dès le seuil. Salomé, nue sous une espèce de tunique noire translucide, était assise devant un guéridon, le regard fixe comme pouvait l'être celui de certains sujets sous hypnose.

— Je vous attendais, dit-elle d'une voix presque sans timbre.

— Je suis... j'ai... Tout cela est déplorable et je suis sincèrement désolé que vous en fassiez les frais, Salomé...

Il ne pouvait détacher les yeux du corps de la jeune femme, ce corps qui, tout au long de l'été, était devenu sa hantise et sa souffrance, un corps qu'il n'avait jamais entièrement possédé, à la différence de Stefan... Et ce corps était là devant lui, offert pour ainsi dire, à peine voilé, faussement caché dans un écrin noir et diaphane, ce qui n'avait pour effet que de le rendre encore plus désirable. Cela lui vrillait une douleur en pleine poitrine.

— Ah! dit-elle. J'allais oublier le miroir...

Elle se leva et se dirigea vers la grande glace qui se trouvait au-dessus du foyer et se mit en devoir de la masquer avec un cachemire indien piqueté de paillettes. Grübbel la regardait faire. Chaque mouvement mettait en évidence une partie de son corps splendide, une cuisse ou un sein se tendait à cause des efforts qu'elle déployait pour recouvrir le miroir du tissu. Grübbel était parcouru de frissons et de tremblements, comme s'il était la proie d'une forte fièvre. Il s'approcha d'elle en serrant les dents : il était au supplice. Il posa une main sur sa taille et l'autre dans l'échancrure du caftan qui s'ouvrait sur la cuisse. Le contact chaud sous sa main de la peau de Salomé le rendait fou. Elle était dos à lui, de sorte qu'il appuya contre ses fesses le résultat de sa réaction physique. Le miroir était entièrement recouvert. Elle ne bougea pas. Puis elle renversa la tête et laissa Grübbel l'embrasser dans le cou tandis qu'il se pressait encore plus contre le bassin de la baronne.

Puis elle se dégagea et s'éloigna de quelques pas, laissant Grübbel tout penaud.

Le boudoir n'était éclairé que par quelques bougies. Sur le guéridon se trouvait la photo du baron Ludwig von Pappenheim ainsi qu'un verre à pied. Sur le bois du meuble étaient gravées en cercle les lettres de l'alphabet. Salomé reprit sa place devant le guéridon et ordonna au médecin de s'installer en face d'elle. Puis, après une prise dans la petite fiole, la baronne lui expliqua ce qui allait suivre.

— Puisque vous n'avez jamais participé à une séance, je dois vous expliquer ce que nous allons faire. D'abord, je vais réciter une petite prière. Elle a pour fonction d'éloigner les esprits inférieurs qui parfois s'amusent à usurper l'identité de celui que nous voulons invoquer.

Ensuite, nous nous recueillerons en pensant à Ludwig. Comme vous ne le connaissez pas, vous pouvez regarder cette photo pour vous aider.

« Je connais pourtant son spectre », aurait voulu rétorquer Grübbel, mais il laissa la baronne poursuivre :

— Ensuite, il s'agit de poser à peine les mains sur le guéridon... et alors nous entrerons en communication ! Et je vous en prie, Hans, pas de sarcasmes ! Pas de paroles colériques ! Les esprits sont eux-mêmes assez prompts au courroux et ils pourraient ne pas goûter votre humour sardonique. Un coup frappé signifie « oui », deux signifie « non ». Lorsque la communication sera établie, nous appuierons légèrement nos doigts sur ce verre à pied. Si l'esprit veut nous dire quelque chose, le verre se déplacera au dessus des lettres qui formeront ainsi des mots. Êtes-vous prêt ?

Grübbel soupira et acquiesça.

Salomé ferma les yeux et prononça la prière suivante :

— Ô source de toute vie, toi qui donnes et reprends selon ton bon vouloir et dont la volonté ne nous est pas toujours connue, fais en sorte d'éloigner les esprits malfaisants qui cherchent à nous tromper et aide le défunt avec qui nous voulons communiquer à parler sans que cela soit pour lui une douleur ou une souffrance. Amen !

— Amen... répéta Grübbel non sans un haussement de sourcils.

— Recueillons-nous à présent et demandons à Ludwig de venir jusqu'à nous.

Ce ne fut que plus tard que Grübbel devait s'étonner de sa docilité à jouer le jeu, et même d'y prendre une part active. Pour tout dire, dès le début de l'été, lorsque Salomé lui avait confié qu'elle organisait des séances de spiritisme, Grübbel avait mis ces activités sur le compte du caractère nerveux de la baronne. On sait déjà que Grübbel n'avait pas caché à Salomé son scepticisme. Mais, ce qu'il ne lui avait pas dit, c'est qu'il considérait ces séances de communication spirite comme le symptôme d'une possible maladie nerveuse. C'était en quelque sorte une manifestation volontaire, une mise en scène de l'hystérie de la baronne. Et pour aller plus loin encore, il se demandait si tout cela, chez la jeune femme, n'était pas la manifestation candide et même puérile des forces sexuelles qui semblaient l'animer. Car il n'était pas loin de croire que ces séances avec les notables du coin étaient une forme camouflée (et enrobée de respectabilité) de débauche sexuelle. D'où, sans doute, sa jalousie à lui qui s'exprimait en ironie et en sarcasmes. Oui, de tout cela il était conscient et c'est précisément ce qui l'étonna le plus lorsqu'il se rendit compte, plus tard, que cette nuit-là il avait joué le jeu.

Grübbel concentra donc toute son attention sur la photographie de Ludwig von Pappenheim. Et plus il la regardait, moins l'homme qui s'y trouvait lui paraissait avoir de ressemblance avec son patient. Mais le médecin était quand même fasciné par cet aventurier, ce voyageur fou, cet homme épris de liberté et qui avait possédé entièrement, et brutalement, la femme que lui, Grübbel, adorait et qui se trouvait là, presque nue... Son souffle en devint lourd et rauque. Son rythme cardiaque s'emballa encore plus lorsque le guéridon se mit à craquer.

— Le voilà... souffla Salomé.

Le guéridon eut encore quelques craquements et se tut. Alors Salomé demanda :

— Esprit, es-tu là ?

Il y eut un faible craquement.

— Esprit, si tu es parmi nous, manifeste ta présence en faisant tourner la table dans le sens des aiguilles d'une montre.

Et le prodige se produisit : la table, lentement, sous leurs mains, se mit à tourner dans le sens indiqué. Salomé eut ce qui sembla à Grübbel un cri de détresse :

— Ludwig !

Un coup ébranla la table sous leurs doigts.

— Oh ! Ludwig ! C'est toi ? C'est bien toi ?

Un coup retentissant eut à nouveau lieu. Grübbel en avait les cheveux qui se hérissaient sur la nuque.

— Ludwig von Pappenheim, est-ce toi qui as tué le pauvre Stefan ? demanda la baronne.

Mais comment un spectre pouvait-il tuer un vivant à l'aide d'un revolver ? aurait voulu demander Grübbel. Il y eut un long silence, comme si l'esprit réfléchissait. Puis, deux coups retentirent. Grübbel s'étonna :

— Pourquoi a-t-il mis du temps à répondre ? Un esprit peut-il mentir ?

Mais Salomé éluda la question et demanda à Grübbel de déposer ses doigts sur le verre à pied.

— Sais-tu qui a tué Stefan ? demanda Salomé.

Un coup fut frappé. Puis, sous leurs doigts, le verre se mit à se déplacer : F, I, L, S. Fils.

— Fils ? demanda Salomé.

Un coup retentit. Le docteur Grübbel sursauta. Des gouttes de sueur perlaient à son front et ses tempes.

— Fils? Le fils de qui? murmura-t-il. Qu'est-ce que cela veut dire?

— Je ne comprends pas, avoua la baronne.

Alors, un souffle de vent froid, presque glacial, parcourut la pièce, venu peut-être d'une fenêtre ouverte, et la bougie qui les éclairait s'éteignit. Ils furent plongés dans l'obscurité la plus complète.

— Qu'est-ce que c'est encore? s'étrangla Grübbel.

Puis, reprenant sa contenance:

— Simplement un courant d'air, je suppose…

Il sentit alors sous ses mains la table tourner plus vite et craquer de toutes parts. Soudain, venues du rez-de-chaussée, des notes violentes de piano se firent entendre. Des notes martelées par un fou furieux, mais dans lesquelles il était tout de même possible de reconnaître une mélodie; on aurait dit du Beethoven joué par le diable lui-même, songea Grübbel. Il y eut un crescendo démentiel et en même temps la table s'éleva jusqu'à ce que leurs bras fussent tendus en l'air, puis elle retomba lourdement dans un fracas de bois et de verre, et ce fut le silence. Le piano s'était tu.

Le sang de Grübbel cognait avec furie à ses tempes. Ses doigts tremblaient en fouillant dans ses poches et il dut s'y reprendre plusieurs fois avant de réussir à enflammer une allumette, à la lueur de laquelle il retrouva la bougie et redonna vie à la mèche. Il découvrit alors à ses pieds le verre brisé, ainsi que des éclats de la vitre qui recouvrait la photo du baron. Puis il trouva une lampe à huile sur une table de chevet et l'alluma à l'aide de la bougie. Un éclairage cru se jeta sur la pièce. D'un grand geste nerveux, il arracha le tissu qui couvrait le miroir. Il resta devant celui-ci, pétrifié. Il y voyait Salomé qui se tenait debout, livide, marmoréenne, ses épais cheveux bruns tombant en lourdes torsades sur l'une de ses épaules dénudées. Ses seins palpitaient sous l'effet de sa respiration saccadée et l'un d'eux était presque entièrement visible. Dans son caftan noir translucide, la blancheur de sa peau la faisait ressembler à un spectre. Mais le plus étonnant était le sourire tordu et cruel qui lui déformait la bouche et faisait apparaître ses dents étincelantes. Grübbel se retourna vivement, bouleversé par l'apparition dans le miroir. Salomé s'avança vers lui et l'embrassa férocement. Elle lui mordillait les lèvres tandis qu'il caressait le sein libéré. Il la prit dans ses bras et la força à s'étendre sur le récamier. Il releva un pan du caftan et se mit à embrasser une cuisse avec délice, laissant sa langue glisser sur la peau lisse et chaude. D'une main il défit sa ceinture, déboutonna sa braguette et libéra son sexe qu'il dirigea vers celui de la baronne. Mais elle s'écria :

— Non! Non! Prends-moi avec ta bouche, fils de Bélial! Avec ta bouche uniquement!

Il y mit tant d'ardeur que, quelques minutes plus tard, la baronne tremblait de toutes ses cuisses. Son corps était secoué d'une jouissance si intense que ses lèvres laissèrent échapper un cri qui déchira la nuit comme un éclair aveuglant.

Père et fils

Salomé se retourna contre le mur. Grübbel avait remis de l'ordre dans sa tenue, mais il demeurait à genoux, pensif et même fortement désorienté.

Peu à peu, la rage, la révolte qui ne le quittaient presque plus depuis l'arrivée de son patient, refirent surface. Mais elles se mêlaient à d'autres pensées informes, miasmes de frustration auxquelles, bien sûr, Salomé n'était pas étrangère. Avec hargne, il lâcha :

— Et alors ? Vous voyez bien que ce type, Dieu, mon patient, n'est pas votre défunt mari. L'esprit a bien dit qu'il n'était pas le meurtrier. Vous faites fausse route avec cette histoire de spectre ! Mon patient est un homme, un homme fait de chair et d'os. Et nous savons par Stefan que c'est lui l'assassin. Cet homme est un imposteur ! Un imposteur et un meurtrier ! Et puis, ce n'est pas mon patient ! Pas du tout ! Il ne l'a jamais été ! Il se moque de moi ! Dieu ! La bonne blague ! Au début, il ressemblait à Freud, ensuite à votre défunt mari... et maintenant maintenant... à qui veut-il ressembler ?! Pourquoi ? Mais pourquoi ?!

Étrangement, il ne remettait pas en cause la séance de spiritisme et les phénomènes étranges qui venaient d'avoir lieu. Encore une fois, ce ne serait que plus tard qu'il y songerait avec étonnement, pour aussitôt trouver une explication rationnelle aux faits, mais la perplexité demeurerait quant à son comportement d'alors.

Salomé, toujours tournée vers le mur, chuchota pensivement :

— Il y a quelque chose d'anormal.

Grübbel eut un petit rire, moins moqueur que nerveux, et lâcha :

— Il ne se passe que des choses anormales depuis quelques jours... depuis que cet infâme personnage est arrivé !

Salomé se retourna enfin vers lui en soupirant avec vivacité.

— Ce n'était pas lui. Ce n'était pas Ludwig, mon mari, dit-elle catégorique, les sourcils froncés.

Grübbel s'emporta :

— Mais c'est ce que je vous dis depuis le début ! Cet homme est un imposteur ! Un scélérat !

— Non, vous ne me comprenez pas, Hans... Je ne parle pas de votre patient. Je parle de l'esprit avec qui nous venons d'entrer en communication. Ce n'était pas mon mari, j'en suis persuadée.

— Mais enfin, Salomé ! Il a dit qu'il était Ludwig !

— Je sais, dit-elle, mais il peut s'agir d'un autre Ludwig.

— Un autre Ludwig ? fit alors en écho Grübbel avec dans la voix une pointe d'angoisse.

— Oui, un autre Ludwig. Je me demande si... N'avez-vous pas entendu le piano ?

— Et comment ! C'était infernal !

— Est-ce que cela n'était pas du Beethoven?

Il soupira et dit:

— Franchement, je ne sais pas... C'était martelé d'une telle façon... Et où est le lien?

— Beethoven... Ludwig van Beethoven!

Le docteur Grübbel demeura un bon moment à fixer la baronne. D'abord sans le vouloir, figé par la surprise, puis intentionnellement. Il ne bougeait pas. Aucune émotion ne se peignait sur son visage. Puis il dit, très lentement:

— Non... ne me dites pas que vous croyez qu'il s'agissait de... de l'esprit de Beethoven?

Il inclina la tête comme en un profond recueillement.

— Ce n'est pas impossible, dit-elle.

— Non, ce n'était pas Beethoven, dit Grübbel d'une voix rauque.

— Vous ne pouvez pas en être certain, Hans.

— Fils... prononça-t-il d'une voix toujours altérée.

— Quoi?

— Fils... c'est ce que l'esprit a dit.

— Oui, en effet, c'est ce que l'esprit a répondu à notre question... lorsque nous lui avons demandé qui avait tué Stefan. Et alors?

— Ludwig... Ludwig Grübbel... C'était le nom de mon père, dit-il en relevant la tête pour plonger un regard féroce dans les yeux de la baronne.

Elle se figea puis sourit. Toujours ce sourire cruel, mais où perçait, cette fois, un air de victoire qui parut à Grübbel tout à fait sordide et égoïste.

Comment les ai-je tués? Rien de plus simple. Le meurtre est un jeu d'enfant. Ce n'est pas tuer qui est difficile, c'est ce qui suit. Encore qu'il existe de nombreuses façons de s'arranger avec le meurtre... Ma mère a relevé prestement le drap sur sa poitrine – jusqu'à con cou. Lui, il était déjà debout, à côté du lit; il avait remis son pantalon et s'ingéniait à reboutonner sa chemise. Il m'a regardé avec un air supérieur, avec de la forfanterie dans le regard. Ma mère secouait imperceptiblement le menton, sans doute plus par peur que pour demander grâce pour son amant, le petit médecin de campagne Stefan Pfeizzer. J'ai fait quelques pas et me suis retrouvé du côté du lit où était couchée ma mère. J'ai tendu la main et lui ai caressé la joue, j'ai lissé une mèche de cheveux rebelle derrière son oreille, comme si j'étais le père bienveillant et elle la docile petite fille. Mais de l'autre main, j'ouvrais subrepticement le tiroir de la table de chevet. Mes doigts aveugles ont fouillé l'obscurité jusqu'à ce qu'ils rencontrent le contact froid du métal. Ils se sont crispés dessus et puis plus rien. Ma mère me regardait à présent d'un air impassible. Lui, il avait suspendu son geste, tenant toujours entre ses doigts un bouton de sa chemise. Sa petite moustache a frissonné, de cela je suis convaincu. Dans le meurtre, les petits détails prennent des proportions gigantesques, croyez-moi, docteur. Le temps s'était arrêté, et dans ce laps tout était encore possible, peut-être: le pardon, l'explication, les pleurs, la souffrance... Mais rien, rien de cela n'a eu lieu. Et si cela n'avait pas lieu à cet instant précis, ce ne serait jamais. J'ai eu l'impression que le monde n'avait plus que deux dimensions; que j'observais une photographie. J'ai retiré ma main du tiroir: elle tenait le petit revolver argenté de ma mère – un cadeau de mon père –, une protection pendant ses absences. Un bel objet, bien ouvragé. Je l'ai pointé vers le docteur Pfeizzer. Il a ouvert la bouche pour dire quelque chose, émettre une protestation, une admonestation, une supplication, mais rien n'est sorti. J'ai tiré. La balle l'a atteint en pleine poitrine et il s'est écroulé comme un pantin dont on aurait coupé les fils. Au coup de feu, ma mère a sursauté. Elle a regardé son amant mort en fronçant les sourcils, puis elle a tourné son visage vers moi. «Hans», a-t-elle murmuré sur un ton amoureux, plein de tendresse. «Non», ai-je répondu. Et je lui ai logé une balle à bout portant dans le cœur. La tache rouge sur le drap s'est mise à grandir tandis que ses yeux me fixaient de par-delà la mort. Je me suis assis à côté d'elle, j'ai pris une cigarette et emprunté son briquet. J'ai fumé en caressant sa belle chevelure brune. J'ai repris le briquet. Flammes. Cendres. Feu purificateur. Et ensuite, cendres du passé.

Insomnie (2)

Il n'était pas question pour Grübbel de retourner chez lui au milieu de la nuit. Mais lorsqu'il exprima son intention de dormir auprès de Salomé, celle-ci refusa avec une véhémence qui le heurta. « Non ! Non ! Ce n'est pas possible, Hans ! » Il tenta bien de l'amadouer, tout en reconnaissant le peu de chance qu'il avait de réussir. En désespoir de cause il demanda de pouvoir au moins dormir sur le récamier, « pour me sentir près de toi ». Rien n'y fit. Salomé demeura évasive sur ses raisons, comme toujours. « Vous serez très bien dans la chambre d'amis. Prenez cette bougie. » Et c'est ainsi que Grübbel dut se résoudre à passer la nuit dans une chambre à l'autre bout du couloir qui faisait un coude, bref, bien loin de la baronne. À peine eut-il franchi la porte du boudoir que Salomé la referma et claqua le loquet. Elle s'enfermait ! Comme si elle craignait une intrusion, comme si elle lui signifiait qu'il ne devait pas revenir ! Grübbel en fut profondément meurtri. Voulait-elle se protéger de lui ? De lui ou de l'Autre ? « Qui a tué Stefan ? FILS. » Allons ! Qu'allait-elle imaginer ? Qu'imaginait-il lui-même ?

Plus il avançait dans le couloir, plus il avait l'impression de s'enfoncer dans un labyrinthe, de se jeter au cœur d'une toile d'araignée où son destin allait se sceller.

Puis il songea avec un frisson d'horreur qu'en bas gisait le cadavre de Stefan... Oui, dès que le jour poindrait, il devrait aller prévenir la police. Nul doute que cela lui apporterait une fâcheuse publicité et de sordides questions de la part des autorités, comme pour la jeune fille tombée du toit, mais enfin... il y avait bel et bien eu meurtre! Et il n'y était pour rien! Il s'agissait après tout de défendre sa réputation!

Où donc se trouvait Dieu à présent? Était-il dans son pavillon particulier? Pouvait-il être encore une fois avec des prostituées, chez Grübbel, en train de boire son champagne? Ou rôdait-il, tout près, autour du manoir de la baronne? Pouvait-il même être ici, à l'intérieur, tapi dans quelque coin sombre? Ah! le monstre!

Une fois dans la chambre d'amis, Grübbel déposa le bougeoir sur la table de chevet et s'assit sur le lit. La pièce, plutôt vaste pour une simple chambre d'amis, était plongée en ses recoins dans une obscurité malfaisante et grouillante.

Pourquoi cherchait-on à le diffamer? Pourquoi l'esprit de son père semblait-il le désigner, lui son fils, comme le meurtrier de Stefan? Pourquoi voulait-on salir son honneur? Pourquoi sa vie, jusqu'alors si rangée, si minutieuse, si studieuse, semblait-elle vouloir basculer? Mais était-ce seulement depuis l'apparition de son étrange patient? se demanda Grübbel. Pour être tout à fait honnête avec lui-même, ne devait-il pas faire remonter le déséquilibre un peu plus loin? C'est-à-dire non pas à l'arrivée de son patient, mais à celle de la baronne au début de l'été? Car il devait bien l'admettre, depuis qu'il avait fait la connaissance de la baronne Salomé von Pappenheim, il n'était plus le même homme. Cette femme exerçait sur lui une fascination morbide... ou du moins maladive. Et pourquoi refusait-elle de se donner entièrement à lui? Pourquoi fallait-il, entre eux, user de subterfuges sexuels alors qu'elle s'était pourtant donnée à Stefan? À Stefan qui reposait à présent, mort, sur trois chaises en bas dans la cuisine. Pourquoi un palefrenier et pas lui, le réputé docteur Grübbel? Que cherchait-elle donc à faire de lui? Le ridiculiser? Le torturer? Et n'en éprouvait-il pas quelque malsain plaisir? Oh! Salomé! Salomé!

Puis il songea à son père alors qu'il était étendu sur le dos dans le lit moelleux qui sentait la lavande. Es-tu là? Était-ce donc toi? Alors pourquoi? Non, tu ne voulais pas m'accuser... Tu devais sans doute chercher à me dire quelque chose. Un remerciement? «Fils.» Cela ne pouvait-il pas être une marque de tendresse de la part d'un père vengé et trop tôt disparu? Tué de sa propre main? Peut-être était-il tourmenté, là où il se trouvait? Peut-être avait-il encore besoin de l'aide de son fils pour regagner le lieu où les âmes torturées peuvent enfin trouver la paix.

Dieu... qui était-il donc? Quel rôle jouait-il dans toute cette odieuse histoire? Plutôt qu'un imposteur, ne pouvait-il pas être un messager? Mais alors, un messager envoyé par qui? Un ami ou un ennemi? Pouvait-il s'agir d'un allié qui se devait d'agir dans l'ombre? Dans l'ombre? Grübbel se convainquit alors qu'il devait trouver, à force de réflexion, la cohérence cachée, comme s'il s'agissait de percer un code secret. Seulement, pouvait-on avoir un allié qui fût aussi un assassin?

Ce fut une nouvelle nuit sans sommeil. Il n'y avait, de toute part, que frustration et questionnement sans réponse.

La flamme de la bougie crépita. Il se tourna vers elle et aperçut un livre sur la table de chevet. Il s'en saisit. *Hamlet*, de Shakespeare.

«Je ne crois pas aux spectres», dit-il à haute voix.

La bougie s'éteignit, le laissant seul dans l'obscurité grouillante. Seul?

Dieu ne peut pas prier: qui donc prierait-il?

Le disparu disparaît

Peut-être avait-il dormi une heure lorsqu'il vit naître l'aube blafarde et froide. L'irritation de la veille avait fait place à un sentiment de dépression. Sans doute était-ce, en partie, à cause de ce début d'hiver, tenta-t-il de se convaincre. De toute évidence, les variations climatiques influaient sur le tempérament. Peut-être pourrait-il, un de ces jours, étudier la chose avec toute la rigueur scientifique dont il se savait être capable. «C'est peut-être cette branche dénudée qui me donne le cafard», se dit-il en regardant par la fenêtre. Mais il songea aussitôt à Salomé, et la tristesse sans borne qui l'accabla alors lui tira presque des larmes. Une tristesse qui n'était pas exempte de dégoût, dégoût de soi, de sa faiblesse et de sa passion frustrée. Au fond, tout ne venait-il pas de cette femme, de la façon dont elle le traitait? Non, il le savait pertinemment, jamais elle ne se donnerait entièrement, jamais il ne la posséderait. Pas plus physiquement qu'émotionnellement. Il en était persuadé, et continuer à la fréquenter ne ferait que prolonger la torture, toujours un peu plus... Comme il était lâche! Comme il se dégoûtait! Car, bien qu'il n'eût jamais caché à la baronne sa passion, il l'avait quelque peu déguisée, édulcorée. Il avait toujours agi comme si leur arrangement tacite lui convenait parfaitement, c'est-à-dire que leur amitié comportât de part et d'autre quelques petites gâteries, mais qu'elle exclût, toujours de façon plus ou moins tacite, le moindre attachement amoureux, de même que la possession sexuelle pleine et entière. Cela le rendait chaque jour un peu plus malheureux, triste et frustré. D'autant plus qu'il avait surpris la baronne (mais elle n'en savait rien) en pleine copulation débridée avec son palefrenier, Stefan... D'ailleurs, quelles conclusions devait-il tirer d'un tel comportement?

Stefan... Même en chassant de son esprit la scène qu'il avait surprise dans l'écurie, la simple sonorité du nom de Stefan lui vrillait un crépitement dans les oreilles, le mettait dans tous ses états, la jalousie lui serrant la gorge jusqu'à l'étouffer et le faire entrer dans une rage...

Stefan n'était plus... En éprouvait-il quelque joie? Pas vraiment. La blessure survivait. L'affront était immortel et cela, en dépit du fait que Stefan gisait là, mort, dans la cuisine, par la faute de ce fou qui se prenait pour Dieu! Non, il n'y avait pas à hésiter; il fallait prévenir les autorités au plus vite.

Il chaussa ses bottes et remit un peu d'ordre dans ses vêtements froissés par sa mauvaise nuit. Sans doute serait-il plus convenable de passer chez lui d'abord pour se rafraîchir et changer de vêtements avant d'aller au village prévenir les autorités, sinon il risquait de faire mauvaise impression.

Il redescendit à la cuisine. Il devait revoir le corps de Stefan pour s'assurer que tout cela n'était pas un rêve. Mais quelle ne fut sa stupéfaction lorsqu'il aperçut les chaises vides! Stefan n'était plus là! Le corps avait disparu! Il questionna une soubrette et un laquais, mais aucun d'eux ne savait ce qu'il était advenu du corps du palefrenier. Eux-mêmes avaient pensé que c'était le docteur qui l'avait peut-être déplacé.

Le cœur de Grübbel se mit à battre la chamade. Allons donc! Comment un cadavre pouvait-il disparaître? C'était absurde et tout à fait déplaisant! Une mauvaise plaisanterie!

Il se dirigea vers les appartements de Salomé. Il en trouva la porte toujours verrouillée. Il frappa d'abord doucement mais, n'obtenant pas de réponse, il y alla plus franchement, puis avec agressivité. Finalement, une voix enrouée lui parvint de l'autre côté, une voix qu'il eut du mal à reconnaître pour celle de la baronne.

— Qui est là?

— Mais ouvrez donc! Qui voulez-vous que ce soit? C'est moi, Hans! s'emporta Grübbel.

Il y eut des bruissements et des soupirs de mécontentement.

— Hans, avez-vous du café? Faites-moi monter du café, voulez-vous?

— Diable! Il faut que je vous parle de toute urgence, Salomé! Le corps a disparu!

— Revenez avec du café, lui lança la baronne sans s'émouvoir.

Abasourdi, Grübbel retourna à la cuisine et y fit préparer du café. Il revint lui-même avec le plateau chargé d'une cafetière fumante et de deux tasses.

— Ouvrez! J'ai le café!

— C'est ouvert!

Il ouvrit tant bien que mal la porte, la poussant du pied, et traversa le boudoir pour se retrouver dans la chambre à coucher de la baronne. Salomé était enfouie sous un amas de couvertures, un oreiller sur la figure.

— Vous êtes beaucoup trop matinal pour moi, lui reprocha-t-elle.

— N'avez-vous donc pas entendu ce que je vous ai dit? Le cadavre a disparu! s'exaspéra Grübbel en déposant le plateau sur une table de chevet.

Salomé rejeta l'oreiller et se releva sur les coudes.

— Le corps de Stefan n'est plus là?

— Non! Disparu, vous dis-je!

— Peut-être les domestiques...

— Je les ai déjà questionnés, vous pensez bien! Ils sont tout aussi ahuris que nous...

Il se mit à arpenter la pièce dans un état d'agitation qui le mettait au supplice. Malgré tout, il arrivait à réfléchir et maugréait des bouts de phrases.

— Hans, vous êtes bien certain qu'il était...

Grübbel s'arrêta net et partit d'un éclat de rire.

— Mort? Oh oui! Il était aussi mort qu'on peut l'être! Mais vous ne comprenez donc pas? Au diable tous vos spectres et vos tables tournantes! C'est lui! C'est l'imposteur qui est venu ici! C'est lui qui a volé le corps! Ah! Je ne me laisserai pas faire par ce bouffon. Que dis-je, un bouffon! Un meurtrier! Un scélérat! Il faut... il faut...

Il rageait tant et si bien qu'il en avait l'écume aux lèvres. La baronne l'observait du fond de son lit comme s'il eût été une étrange créature, étrange et potentiellement dangereuse. Il ricana.

— Vous avez peur de moi, Salomé? Hé! Hé! C'est exactement ce qu'il veut, ne le comprenez-vous donc pas? Mais le plus risible, c'est que ce n'est pas de moi que vous devez craindre le pire, c'est de lui! Oh! c'en est assez! Je vais vous le retrouver votre petit Stefan! Voulez-vous que je dépose son cadavre dans votre lit, madame? Ce sera mon hommage... Vous pourrez en user comme il vous plaira...

La bouche de la baronne s'arrondit, mais aucun son n'en sortit.

Grübbel laissa échapper un juron et tourna les talons. Il savait qu'il était allé trop loin, mais il ne pouvait rattraper ses paroles. Le mieux qu'il pouvait faire à présent, c'était de mettre la main sur son patient et de le traîner de force jusqu'au village, chez les gendarmes.

Cendres

Grübbel aperçut le panache de fumée d'assez loin. Il comprit aussitôt qu'une nouvelle catastrophe l'attendait. Il éperonna la vieille jument qui ne réagit pas et, en désespoir de cause, lorsqu'il fut rendu à une distance raisonnable, il sauta sur le chemin et se mit à courir. S'il avait eu quelques minces espoirs, ils disparurent tout à fait lorsqu'il tourna dans l'allée menant à sa demeure. Tout n'était plus que désolation. Il s'approcha des ruines fumantes et se laissa choir sur le sol. Pendant cinq bonnes minutes, il ne fit rien d'autre que regarder distraitement la pointe de sa botte, tout à fait étranger au nouveau malheur qui venait de fondre sur lui. Puis il se mit à renifler l'odeur de brûlé et plissa les yeux. Son regard parcourut les décombres avec une acuité qui lui donna le vertige.

Tout avait été la proie des flammes, l'écurie comme la maison. Seuls des pans de celle-ci, en pierres à présent noircies, demeuraient à peu près debout. Il remarqua alors l'escalier central, miraculeusement épargné au milieu des ruines. Cela tenait à la fois de la supplication et de la majesté: l'étonnante structure s'élevait vers le ciel et son marbre était demeuré d'une blancheur immaculée. Tout le reste entourant cet énigmatique escalier n'était que décombres. Tous les efforts d'une vie partis en fumée, réduits en cendres... Il pensa alors qu'il n'avait plus, pour seul bien, que les habits froissés qu'il portait sur lui. Ses yeux s'embuèrent, des larmes brûlantes lui griffèrent les joues, mais nuls soubresauts ne l'agitaient. C'était une immense tristesse qui s'abattait sur lui, empreinte de nostalgie, comme si tout ce qu'il venait de perdre, il l'avait déjà perdu il y avait bien longtemps... Il songea à ses livres et à ses notes. Ses notes! Des années de travail, de studieuses lectures, de laborieuses réflexions! Tout cela n'existait plus, tout cela était perdu à jamais; jamais il n'aurait le courage de tout recommencer. Sa vie venait de prendre un tournant décisif.

Un soleil bas et agressant faisait miroiter des objets métalliques parmi les débris. Grübbel se releva, intrigué par un détail qu'il voyait surgir au milieu de l'écurie en ruine. Il s'approcha, tassant du bout du pied les débris qui lui obstruaient la voie. Il fut enfin devant l'incongruité: une botte de cuir encore fumante. Puis, peu à peu, dégageant la botte, il découvrit la jambe et, enfin, tout le corps noirci de Stefan.

Le disparu était retrouvé.

Grübbel se retourna et partit à pied en direction de l'auberge de S., où il n'avait plus qu'à louer une chambre.

ÉPILOGUE

Pensées ferroviaires

Petite fiole.

Tout cela a été orchestré par lui. Par qui d'autre, sinon? Il est venu pour me tourmenter, pour me nuire, pour que je devienne coupable. Il doit m'espionner depuis longtemps pour si bien me connaître, connaître mes travaux, mon passé, cette affaire de la patiente tombée du toit, mes relations avec la baronne, sans parler de cette histoire de Stefan et elle dans l'écurie dont je me croyais le seul témoin et qui m'a planté un poignard dans la poitrine. Tu m'aimais donc si peu, ô Salomé? Ah! l'ignoble personnage! Avoir mis le cadavre dans le brasier! Cendres et poussières! Maquillage! Sa seule envie est de me voir souffrir, de m'observer me tordant de douleur, de sourire lorsque je suis dans le doute, de s'esclaffer devant mon indignation, de hausser les épaules face à ma rage et à ma révolte! Mais au fond, tout cela n'est peut-être qu'un rêve? Un rêve! Pauvre fou! *Je me propose de démontrer dans les pages qui suivent qu'il existe une technique psychologique qui permet d'interpréter les rêves.* Mais tu priais et cela est impossible. Tu ne peux pas prier! Tu n'es qu'un imposteur! Baron, tu n'es qu'un monstre! Baron? Allons, allons... mon train déraille! Mon existence n'a été qu'une longue quête de la vérité et pourtant les ténèbres ne font que s'épaissir... Et dire que toute l'énigme ne repose que sur une femme et son âme noire. Là. Cette femme, c'est l'œil de la tornade. Ma maison est un regard exorbité. Un regard de bête prise en chasse. Ma maison! Mon âme! Je suis la proie de ce meurtrier. La prochaine proie. Je suis dans sa mire. Entre-temps, il veut me rendre coupable de ses autres meurtres. Il veut que je porte la faute. Mais le fils doit-il sans cesse porter la faute du père? N'ai-je pas fait preuve de vaillance et d'assiduité? N'ai-je pas réussi à me construire contre vents et marées? Et qui donc est mon père? Ah! tu peux bien détruire ma maison, tu peux détruire ma réputation, tu peux détruire l'amour de ma vie, mais tu ne me détruiras pas! Tu peux bien me regarder du miroir où tu te trouves et me faire des sourires ironiques, tu peux bien imiter le bruit du feu qui crépite à mon oreille, mais tu n'ébranleras pas le docteur Grübbel et tu ne feras pas tomber de son socle la statue dans le vain espoir qu'elle se brise en morceaux. Si tu avais un tant soit peu d'entendement, tu aurais compris que Dieu... Peu importe. Balivernes! Je m'égare. Maintenant, je dois me rendre à Berlin: je n'en ai pas le choix. Ce n'est pas tout à fait moi qui décide. Comme pour Paris ou Londres, Shanghai ou le désert du Sahara... c'est... la Bête! Avez-vous lu Stevenson? Ce type-là a tout compris. *Doctor Grübbel and Mister God.* Ça vous dit quelque chose? Je vais à Berlin parce que cette ville est pleine de promesses. Promesse de vengeance, promesse d'assouvissement, promesse de sérénité... Oh! ne me refusez pas la sérénité!

Petite fiole.

Au café de la gare

Cela devait être un café près de la gare. Il n'y a que des cafés miteux près des gares, c'est une loi universelle. Sa mémoire ne devait en garder qu'un souvenir confus. D'ailleurs, tout ne devenait-il pas de plus en plus confus? Il avait marché dans les rues au hasard toute la journée et le soir était tombé sur Berlin en même temps qu'une neige lourde et drue, alors il était entré dans ce café. Par hasard, dirons-nous. Celui-là, tout simplement; parce qu'il passait devant, parce qu'il avait froid, parce qu'il neigeait, parce qu'il était troublé. Il ne faut pas toujours chercher de profondes motivations psychologiques au moindre de nos gestes, n'est-ce pas?

Un réconfortant sentiment de chaleur et de fraternité a saisi Hans Grübbel lorsqu'il est entré dans l'établissement. Oh! allez! Il n'était pas si mal famé, ce bistro! Il se donnait des airs canailles, mais tous ces clients, n'étaient-ce pas de bons bourgeois? De bons, de braves gens réunis dans la joyeuse ivresse du schnaps et de la bière? Oui, il y avait peut-être bien quelques filles, de gentilles filles, au fond, qui ne demandaient qu'à gagner quelques sous pour survivre et avoir un peu de plaisir. Est-ce donc si répréhensible? Ah! le sourire de ces filles coquines! Et les visages rougeauds des bourgeois chauffés par l'alcool et le désir! Joli tableau!

Il a commandé un rhum. Il se trouvait à une petite table ronde, isolée, tout au fond. Il avait peut-être l'intention d'écrire dans son journal. Bon, il est vrai qu'il aurait pu choisir un café moins animé, moins bruyant. Mais il était entré dans le premier qu'il avait vu. Et puis il commençait à neiger. Voilà pour l'empressement. C'est à ce moment que la fille s'est assise à sa table.

Tout cela est étrange. Il ne prétend pas tout comprendre. D'ailleurs, il ne pourrait pas jurer qu'il s'agit de la même brunette qui était chez lui ce fameux soir... Enfin, elle lui ressemblait. Et elle ressemblait à Salomé. Ne l'avait-il pas noté, cet air de famille, l'autre nuit? Mais comment distinguer la part de réalité de la part d'imagination? D'autres que lui s'accommodaient plus facilement des coïncidences, c'était bien possible.

— Vous êtes seul? a-t-elle demandé.

Il ne se souvient pas d'avoir répondu à sa question.

— Vous m'offrez un verre de schnaps?

Il s'est exécuté sans rien dire. Il avait la gorge nouée de fascination. Il voulait se noyer dans ses yeux. Il aurait voulu que sa chevelure brune l'étouffe.

— Qu'est-ce que vous croyez, Hans Grübbel? Rien n'est aussi simple qu'on le suppose de prime abord. Vous aimeriez avoir un système, un système d'analyse infaillible, parce que vous n'êtes guère satisfait par ceux des autres. Vous vous croyez plus malin. Seulement, voilà: si un système est infaillible, alors on peut l'appliquer sur tous, et donc sur soi. Mais vous ne voulez pas savoir ce qui se cache au fond de vous, n'est-ce pas? Et vous vous demandez: et elle? À quoi joue-t-elle? Que représente-t-elle? Brune, yeux verts, sensuelle... Et vous vous dites: étrange comme elle ressemble à la baronne! Et encore: est-ce la même prostituée que Dieu a ramené chez moi l'autre nuit et avec qui j'ai... Mais non, fils d'industriel, vous ne voulez pas savoir... Vous préférez la profondeur des autres. Ah! vous baissez le regard à présent? Vous regardez mes seins? Est-ce là votre façon d'analyser les gens? Ne confondez-vous pas connaissance et possession? Voulez-vous donc vous abreuver à mes seins? Vous repaître de la connaissance que mes seins nourriciers pourraient vous dispenser? Je sais: vous voulez vous enfoncer dans mes profondeurs... Peut-être y cherchez-vous un refuge, comme dans les jupes de votre... Docteur! Vous me faites frémir! Je sens en vous une force animale qui m'excite! Oui, d'accord, j'ai compris. Vous ne voulez pas savoir d'abord combien il vous en coûtera? Non? Très bien. Peu importe. Alors partons maintenant. Je vois bien que vous tremblez, petit bourgeois surpris par la violence de son désir. Partons! Allons trouver une chambre. Je vous offre mes profondeurs sans fin...

Hans Grübbel s'est levé, pâle et résigné. La jeune femme l'a suivi. Le café s'était encore rempli et ils ont dû se frayer un chemin dans la foule compacte. Ils ont même bousculé quelques personnes près du comptoir pour atteindre la sortie. Un homme s'est retourné et, les yeux plissés par un sourire, a levé son verre de bière à l'adresse de Grübbel. Ce dernier poussait la porte lorsqu'il a jeté un regard par-dessus l'épaule, pour savoir qui donc faisait mine de boire à sa santé. Il a croisé le regard de Dieu.

Livre et journal

Le lendemain en fin de matinée, le docteur Grübbel se trouvait dans le train qui devait le ramener à S. Il était seul dans sa cabine, fourbu mais heureux. Il s'apprêtait à lire le journal qu'il venait d'acheter au kiosque de la gare, lorsqu'un homme poussa la porte de la cabine et prit place sur la banquette en face de lui. C'était Dieu, son patient.

— Tiens donc! Docteur! Vous avez passé la nuit à Berlin?

Grübbel eut un petit rictus et répondit:

— Et vous aussi, ce me semble! Il est vrai que nous n'avons plus de toit....

— Que voulez-vous dire?

— Ne faites donc pas l'innocent, soupira Grübbel.

Dieu haussa les épaules et dit:

— Je ne comprends pas. Est-ce que vous m'accusez de quelque chose?

Grübbel changea de sujet:

— Bonne équipée à Berlin?

— Hé! Il faut bien se divertir, n'est-ce pas? fit son patient avec un clin d'œil.

— Il n'y a pas de mal à cela, approuva Grübbel. Berlin recèle de nombreuses activités culturelles dont S. est cruellement dépourvu...

— Ha! Ha! En effet! Bien dit!

Puis il y eut un long moment de silence pendant lequel Dieu et le docteur Grübbel regardèrent le paysage défiler. Grübbel eut tout le loisir, durant cet intervalle, de s'étonner de son propre manque de réaction envers son patient. C'était comme si toute rage s'était envolée. Normalement, il aurait dû au moins le gifler, peut-être même lui sauter dessus et le rouer de coups tout en appelant à pleins poumons la police ou un chemineau. Mais il savait très bien que tout cela était inutile et ne finirait qu'à son désavantage. C'était lui, et non son patient, qui passerait pour un fou furieux. Et espérer quelque aveu que ce soit au sujet de Stefan ou de l'incendie du manoir, autant ne pas y penser.

— Alors? Sommes-nous sur le chemin de ma guérison? demanda Dieu.

Grübbel hocha la tête sans se départir de son rictus.

— Le fait est que je me demande si votre intention est bien de guérir...

Dieu parut offusqué.

— Vous croyez que je prends mon analyse à la légère? Vous vous trompez lourdement, Grübbel!

Le docteur prit une profonde inspiration avant de répondre d'un ton las :

— Oui, je crois que vous prenez la chose avec légèreté. Vous ne semblez pas y croire vraiment. Tout cela me paraît être une mise en scène et il y aurait même eu répétition. Je suis persuadé que ce n'est pas la première fois que vous mettez les pieds à S.

Dieu se massa le menton, les yeux plissés, hochant la tête. Il ressemblait à un chat ronronnant de plaisir. Puis il avoua :

— En effet, je me demande si... il n'y a pas quelques années... Enfin, tout est possible avec moi ! Car il est vrai que dès mon arrivée, j'ai eu une impression de familiarité. De déjà vu. Le village de S., votre manoir, cette forêt... Et même, ma foi, la baronne Salomé von Pappenheim. Comment est-ce possible ? Vous le saviez donc ? Avez-vous une explication, docteur ?

Ce fut au tour de Grübbel de hocher la tête d'un air entendu. Au demeurant, son sourire en coin ne l'avait pas quitté.

— Une explication ? En effet, j'en ai bien une. Peut-être même plus d'une...

— Plus d'une ? N'est-ce pas embêtant ?

— En fait, précisa Grübbel, je commence à comprendre un peu mieux votre cas et le dilemme qui en résulte.

— Que voulez-vous dire au juste ?

— « Si vous me guérissez, ce monde disparaîtra et vous aussi... » N'est-ce pas ce que vous m'avez dit le premier soir ?

— Oui, c'est exact.

— Je crois saisir à présent...

Grübbel se tut et tourna son regard vers le paysage mouvant. Si Dieu avait cherché à le faire sortir de ses gonds à plus d'une reprise, c'était maintenant au tour de Grübbel de le taquiner. Non, il ne tomberait plus aussi facilement dans les pièges que lui tendait l'autre.

— Quel est ce livre qui dépasse de la poche de votre paletot ? s'enquit Dieu.

Grübbel le tira de sa poche avec un soupir :

— *L'interprétation des rêves*... par le docteur Sigmund Freud...

— Oh ! Freud ! Celui avec qui vous m'avez confondu la nuit de mon arrivée !

— Vous avez tout fait pour que cela se produise, lui remémora le médecin.

— Vous croyez ? Bah... nous n'allons pas nous disputer pour une simple question de ressemblance !

Et Dieu haussa les épaules avant d'ajouter :

— Et vous, docteur ? Croyez-vous que les rêves ont une signification ? Je veux dire, qu'ils puissent révéler quelque chose de la personnalité du rêveur ? Qu'ils puissent représenter une source d'analyse psychologique ?

— Vous êtes le rêveur ; je ne suis qu'un personnage de votre rêve, n'est-ce pas ?

— Mais il s'agit ici d'un rêve éveillé, docteur. Une rêverie... Que dis-je ! Une fantasmagorie !

— Bien entendu, fit Grübbel conciliant. Désirez-vous jeter un coup d'œil au livre de Freud ? J'ai un journal pour ma part.

— Non, grand merci. Lisez-le, vous. Par contre, si vous me prêtiez votre journal, je vous en serais très reconnaissant.

Grübbel le lui tendit avec un faux détachement. Dieu déplia le journal et étendit les jambes avec un grognement de satisfaction. Grübbel eut alors devant lui la manchette principale se trouvant à la une : JEUNE PROSTITUÉE ASSASSINÉE.

— J'adore les faits divers, fit la voix de Dieu derrière le journal.

Journal du docteur Grübbel

J'ai loué une chambre à l'auberge de S. où je me trouve actuellement. Le confort est plus que rudimentaire, mais où donc irais-je, du moins aussi longtemps que Salomé sera près d'ici ? Je ne pourrais vivre loin d'elle. Dis-moi qui tu hantes et je te dirai qui tu es...

J'ai passé une nuit à Berlin. Mon patient a pris le même train de retour et il loge lui aussi à l'auberge. Quelle insulte ! Pourquoi demeure-t-il dans la région sinon uniquement pour me narguer ? Il m'a dit que nous pourrions parfaitement continuer l'analyse à l'auberge, mais bien sûr tout cela est ridicule et inutile. Je le soupçonne de vouloir m'assener un dernier coup et, comme il ne me reste plus rien sinon Salomé, c'est sûrement vers elle qu'il songe à se tourner pour faire preuve de sa méchanceté.

J'ai pensé de nouveau qu'il pouvait s'agir du baron von Pappenheim. N'est-il pas disparu en Afrique du Nord ? Or, dès notre première séance d'analyse, mon patient a fait référence au Coran. Mais je sais bien que c'est impossible. Le baron est mort, ou alors il est vivant mais très loin d'ici et sans aucune intention de revenir. Pourtant, pourtant... Imaginons qu'il revienne et découvre que j'ai une relation avec sa femme. Il veut donc se venger. Il invente une histoire abracadabrante, il affirme être Dieu, pour que je le croie fou, tout cela pour s'introduire chez moi en tant que patient. Puis il cherche à ternir ma réputation, mais cela ne lui suffit pas. Il assassine alors Stefan, se fait ensuite passer pour le spectre de mon père et... et hier soir à Berlin, il assassine une prostituée qui, je l'avoue, m'avait abordé dans un café, afin que je sois soupçonné de ce meurtre. Voilà toute l'affaire et rien d'autre! Mais alors, si cela est, pourquoi Salomé ne m'aide-t-elle pas à démasquer ce fou furieux? L'aimerait-elle encore? Les femmes sont souvent imprévisibles et l'amour qu'elles peuvent porter à un homme (qui ne le mérite pas toujours) leur fait perdre la tête et les rend cruelles. Elles ne savent plus alors où se trouve leur bien.

Et maintenant, je ne sais plus comment me débarrasser de lui. Je pourrais aller à la police, mais j'ai peur que tout cela ne se retourne contre moi. En fait, je vis dans l'angoisse et me sens trahi par Salomé. Il faut pourtant trouver une solution. Demander à mon patient de partir? Mais il a tout à fait le droit de demeurer à l'auberge. Il me rirait au nez si je lui demandais une telle chose. Et même s'il obtempérait, le mal n'est-il pas déjà fait?

Et s'il allait loger chez Salomé? Peu importe s'il est le baron ou non. Elle le recueillerait de toute façon. Surtout s'il persévère dans ses prétentions divines.

Peut-être est-il même déjà chez elle? Dans ses bras. Dans son lit. Elle ne saurait se refuser à Dieu. Dans ses bras, dans son lit, je les vois : ils forniquent comme des bêtes sauvages! Ils copulent puis ils rient de ce pauvre imbécile de Grübbel. Je suis la risée de leur amour! Tout cela n'a peut-être été qu'une longue et monumentale farce depuis le début. Mais pourquoi? Qu'ai-je donc fait à Dieu?

Aujourd'hui, j'aimerais que cela soit vrai: qu'il soit réellement Dieu et que je le guérisse, de sorte que je disparaîtrais pour de bon et que rien de tout cela n'aurait vraiment eu lieu...

Une lettre de la baronne

Le docteur Grübbel referma le cahier relié où il consignait son journal personnel et prit la lettre de la baronne que venait de lui remettre le vieil aubergiste. Il déchira un bout de l'enveloppe avec des doigts tremblants et découvrit les premiers mots: «Mon très cher Hans». Il ne put aller plus loin tant il était saisi d'une intense émotion.

Il se leva de sa chaise et fit quelques pas autour du lit puis revint vers la table. Il s'empara de la chopine de rhum qu'il s'était fait monter et se servit un petit gobelet qu'il vida d'un trait. Ensuite, il sortit de la poche de sa veste la petite fiole de cocaïne et en dévissa le couvercle afin d'y plonger sa petite cuillère à priser. Après deux prises, il reprit la lettre et alla s'asseoir au bout du lit qui craqua funestement dans son cadre de bois. Il écouta un instant les voix des clients, en bas, dans la grande salle de l'auberge. On y gueulait et riait. Un accordéoniste jouait et quelques voix féminines, éraillées par l'alcool, chantaient de vieilles rengaines populaires. Greta, la brunette, était peut-être là, pendue au bras de Dieu, si toutefois ce dernier...

Grübbel déplia la lettre et lut d'un trait :

« Mon très cher Hans,

Hier matin, après votre départ, j'étais tout à fait mortifiée. D'abord par la situation générale, mais aussi (vous vous en doutez bien) par vos paroles désobligeantes au sujet de Stefan... Cela m'a heurtée comme aucune de vos paroles n'avait pu le faire auparavant. Toute la matinée j'ai tourné en rond, le cœur saturé de colère et de tristesse, puis j'ai fini par vous excuser, car je savais bien que vos paroles avaient dépassé votre pensée. Je sais aussi que vous ne pouvez pas me considérer comme une perverse, enfin... comme une... nécrophile ! Est-ce bien le mot qui convient ? Vos nerfs ont été mis à dure épreuve bien que vous persistiez à ne pas croire aux signes venus de l'au-delà.

« Bref, j'ai dépêché quelqu'un chez vous et c'est ainsi que j'ai appris le terrible malheur qui était survenu – à savoir que votre manoir avait été la proie des flammes.

« J'ai passé une journée affreuse, espérant avoir à tout instant de vos nouvelles, mais la nuit est tombée sans que j'en aie reçu. Puis, vers neuf heures du soir, on m'a prévenu qu'il y avait un visiteur pour moi. Quelle ne fut pas ma surprise de voir votre patient, Dieu.

« L'homme avait l'air en piteux état et je lui ai fait servir un verre de brandy pour le remonter un peu. Il était inquiet à votre sujet. Il savait que vous aviez trouvé refuge à l'auberge mais que vous n'étiez pas dans votre chambre. Il m'a dit tout le bien qu'il pensait de vous et combien il espérait que vous puissiez le guérir.

— Mais peut-on guérir Dieu ? lui demandai-je le plus naïvement du monde.

« Il est demeuré songeur, puis il a répondu :

— Cela serait possible, si seulement le docteur Grübbel voulait bien reconnaître qui je suis... Seulement, il préfère tout un tas de chimères plutôt que de regarder la réalité en face. Il accepte toutes les autres possibilités, sauf celle-là.

— C'est un homme de science, vous défendis-je.

— On peut être un homme de science sans pour autant être athée, chère baronne.

— Je sais, lui dis-je, j'ai moi-même quelques reproches à lui faire à ce sujet. Mais au fond, je sais bien que cette attitude positiviste n'est qu'une révolte de sa part.

«Il m'a expliqué qu'il avait peur pour vous. Il dit que vos nerfs sont mis à dure épreuve depuis qu'il vous a confié son cas. Il pense que vous le croyez méchant, manipulateur et que vous le tenez pour un imposteur. Il en est extrêmement attristé.

«Vous savez, Hans, que pour ma part je crois en Lui et donc en ses forces. Dieu est certes jaloux, parfois vindicatif, mais il est aussi capable de miséricorde et d'amour. Voilà ce que vous devez comprendre, Hans. Acceptez cette possibilité et vous serez libéré de vos angoisses. Abandonnez-vous et croyez en Lui. Ce n'est qu'ainsi que vous pourrez lui faire du bien et, par la même occasion, vous en faire à vous-même.

«Ayant quitté ce terrain, nous avons abordé d'autres sujets d'une terrible importance et nos discussions sur la spiritualité et le mysticisme nous ont conduits fort tard dans la nuit. Le brandy aidant, Dieu s'est déridé et il a même joué du piano. Minuit était passé depuis longtemps et je ne pouvais pas laisser Dieu repartir ainsi au cœur de la nuit vers cette sinistre auberge. Il a donc dormi ici et ce matin, après un simple café, il a voulu partir à votre recherche.

« Je laisse donc cette lettre à l'auberge en espérant que vous y serez de retour bientôt. Je vous prie de bien veiller sur Dieu qui doit également loger là-bas. Il se fait sincèrement du souci pour vous. Soyez bienveillant à son égard, comme il l'est pour vous.

« Donnez vite de vos nouvelles à
Votre Salomé. »

Réflexion sur un lit d'auberge

Le docteur Grübbel demeura un long moment immobile, la lettre de la baronne entre ses doigts. Et voilà! se disait-il. Ce maniaque a réussi à ensorceler Salomé! Qui sait? Peut-être avait-il des notions d'hypnotisme? Grübbel n'avait-il pas prévu cette situation?

Ses doigts, crispés sur la feuille de papier, n'arrivaient pourtant pas à en faire une boulette ou à la déchirer. La colère ne voulait pas se manifester. Au contraire, c'était la perplexité qui l'envahissait. Le docteur Grübbel faisait un immense effort de réflexion. À vrai dire, il cherchait à rassembler toute sa raison, toute son énergie mentale pour ne pas sombrer dans un gouffre dont le nom était folie. Il le savait. Il avait trop côtoyé les déséquilibrés. Cela finirait par lui jouer un mauvais tour, un jour ou l'autre. Il secoua frénétiquement la tête de gauche à droite, comme si la folie eût été des poux qu'il eût pu faire voler au loin. Il passa une main sur ses lèvres, puis sur ses joues où une barbe de quelques jours crissa avec un son aigu, qui lui agaça les oreilles. De quoi avait-il l'air? se demanda-t-il. D'un clochard, probablement. D'un homme troublé, très certainement. Une barbe de quelques jours, des cheveux ébouriffés, des vêtements froissés et sales, des yeux agrandis par la cocaïne et rougis par l'alcool et le manque de sommeil. Un clochard? Un fou, plutôt!

Il eut un hoquet de rire.

Et s'il se regardait dans le miroir? Non. Il ne fallait pas. La vengeance du reflet serait terrible. Il y aurait sûrement, sur la bouche du reflet, un rictus démoniaque, cruel, plein de suffisance. Non, il ne fallait pas regarder.

Mais il n'était pas désaxé au point de ne pas se rendre compte du paradoxe que contenait la lettre de la baronne von Pappenheim, si toutefois c'était bien elle qui l'avait écrite... Car il avait bel et bien vu son patient la veille à Berlin dans ce bistro et ce matin même dans le train. Alors, comment avait-il pu rendre également visite à la baronne et dormir chez elle? C'était une impossibilité dérangeante. Pourtant, il devait bien y avoir une explication... car, tout de même, son patient ne pouvait pas avoir le don d'ubiquité! Une explication possible était que cette lettre était fausse ou que Salomé se moquait de lui. Car aucun doute possible dans l'esprit de Grübbel, il s'agissait bien de l'écriture de la baronne. Seul un maître faussaire aurait pu composer une aussi longue lettre en imitant l'écriture de Salomé sans jamais faire la moindre petite erreur. Donc, il n'y avait plus que la douloureuse explication d'une moquerie. Mais pourquoi? Était-elle de mèche avec son mystérieux patient?

Sur cette dernière réflexion, Grübbel trouva enfin la force de déchirer en petits morceaux la lettre de Salomé. Il le fit sans états d'âme, sans colère, presque machinalement, comme un automate. Oui, il ne pouvait en être autrement: il y avait bel et bien machination. Mais quand cette farce cruelle avait-elle pris naissance? Dès sa première rencontre avec Salomé? Ou plus tard durant l'été? Voulait-elle lui faire payer son entêtement à ne pas prêter foi à ses sornettes ésotériques? Mais il était difficile de croire qu'une petite vengeance eût pu aller jusqu'au meurtre. Mais Stefan était-il bien mort? Était-ce vraiment son cadavre dans les décombres du manoir?

Son esprit tentait désespérément de prendre un chemin pavé de rationalité. Et si c'était bien le baron, après tout, qui jouait au patient? Et si le baron avait un frère jumeau? Allons! Allons! Ressaisis-toi! Pense! Ce qui reste, après avoir écarté tout ce qui s'avère impossible, aussi incroyable et impensable que cela puisse paraître, est nécessairement la clé de l'énigme, disait en substance Sherlock Holmes. Alors, son patient avait le don d'ubiquité et, donc, aussi choquant que cela puisse sembler, il pouvait être Dieu... Quelle absurdité! Son raisonnement frisait le sophisme. Non! Vraiment! Je déraille complètement! Et si j'interrogeais après tout mon reflet? Ce type-là dans le miroir pourrait bien en savoir plus que moi.

Il s'extirpa du lit et se dirigea vers l'armoire dont les portes étaient munies de glaces. Il ne se reconnut pas, comme d'habitude. Mais le reflet était encore plus étrange qu'à l'accoutumée. Il s'était attendu à voir un clochard, un dément, mais en fin de compte, c'était un homme bien mis, les cheveux certes un peu en bataille, mais comme par négligence volontaire. Il paraissait, pour tout dire, respectable, mondain et un rien hautain. Il lui faisait penser à son patient.

— Alors, demanda son reflet, qu'en est-il de tout ce complot?

— Alors, qu'en est-il de tout ce complot? répondit Grübbel.

Il demeura figé quelques secondes. À coup sûr, quelque chose n'allait pas.

C'est alors que sa froideur s'envola et que les sentiments affluèrent, comme une armée se lançant à l'assaut du bataillon adverse. Sa figure s'empourpra, ses mains se fermèrent en des poings hostiles, sa bouche se tordit de haine. Une haine puissante, souveraine. C'était comme lorsqu'il avait tiré sur son patient, mais plus bestial, plus primaire. Cette fois, il ne le manquerait pas. Il fallait le tuer, s'en débarrasser. C'était un être malfaisant et gênant. Il en savait trop. Il fallait donc l'éliminer. Et tant pis si la baronne devait partir avec lui. C'était le prix à payer pour retrouver l'intégrité de sa personne.

Comme je vous l'ai dit, après le crime je vécus à Berlin un certain temps, riche et désœuvré. Je crus bon d'entreprendre alors une carrière apte à me donner une position sociale. Par boutade, et peut-être aussi par envie de jouer avec le feu, je décidai de faire médecine et de me spécialiser en neurologie. Mais cette belle résolution ne dura guère. Et je me mis à vivre une vie dissolue, d'abord à Berlin, puis à Paris où nous nous sommes rencontrés, certes, brièvement... Enfin, je vécus quelque temps à Londres où je décidai de suivre des cours de littérature anglaise. Mais encore une fois j'abandonnai mon projet, quoique je poursuivis, en autodidacte, mes lectures et mes études des poètes et prosateurs de la noble Albion. Et c'est dans cette ville suffocante et grise que les cendres se rassemblèrent à nouveau en un tout compact et que l'amertume, la jalousie et le désir de vengeance vinrent ligoter mon esprit. Ce que je croyais mort et enterré à jamais de mon histoire, tel le phénix renaissant de ses cendres, refit surface, mais sous une forme imprévue et, pour tout dire, diabolique... J'étais devenu un prédateur cruel, mais sous les aspects d'un gentleman qui ne se départait jamais de sa courtoisie bourgeoise et de sa politesse onctueuse. Du moins jusqu'à ce que je fusse seul avec la prostituée choisie et que d'un scalpel, vestige de mes études de médecine, je l'éventrasse avec une ivresse qui n'était pas de ce monde. J'étais à la fois fasciné et dégoûté par ces créatures de la nuit qui promettaient l'extase aux esseulés, aux timides, aux pressés et aux arrogants. Une fois seul en leur présence, le bourdonnement à mon oreille me rendait fou et le seul remède pour le faire taire était de *tuer à nouveau. De tuer ma mère encore une fois, et une autre, et une autre encore. Scotland Yard était sur les dents. Je n'étais cependant pas le seul tueur qui leur causait des maux de tête. L'étau se resserrait cependant et je devais partir. Comme j'étais riche et sans attaches, sans passé (du moins le croyais-je encore malgré ma folie meurtrière), je résolus de voir le monde. J'ai gagné la côte en train et dans un port, peut-être Liverpool, je me suis embarqué sur un navire. Je descendis au Portugal et de là j'allai en Espagne, à Grenade, où je visitai l'Alhambra. Ce fut une révélation. Je décidai alors de monter à nouveau sur un navire et me rendis à Tanger. Ce fut la première étape de ce qui devait devenir une longue pérégrination, une errance, ou peut-être une quête, celle de mon nouveau corps.*

Dieu et le docteur Grübbel à l'auberge

Le lendemain matin, le docteur Grübbel descendit dans la grande salle de l'auberge pour y prendre son petit-déjeuner. Il voulait l'avaler rapidement, peut-être même boire juste un café, puis rendre une ultime visite à Salomé.

Il n'y avait personne dans la grande salle, pas même l'aubergiste. La pièce était plongée dans une pénombre déprimante due à la matinée nuageuse. Les pas de Grübbel résonnèrent lugubrement sur le plancher de bois franc usé et poussiéreux. C'était comme si cet endroit n'avait pas été fréquenté depuis des lustres. Poussière, silence, solitude. Voilà de quoi serait faite sa vie à présent; de quoi elle était faite depuis un certain temps déjà, corrigea-t-il. Car au fond, qu'était-ce donc que sa carrière de médecin retiré dans ce trou perdu? Une fuite vers le silence, un refuge dans la solitude. Non, il n'aimait pas et n'avait jamais aimé le genre humain. Il avait toujours voulu le fuir. Une poussière recouvrait tout son passé, tous ses souvenirs. Il était si fatigué de jouer à l'homme respectable, au bon médecin, au charitable défenseur des êtres fragiles. Tout cela n'avait-il pas été une immense duperie faite à lui-même, une mascarade destinée à tromper sa propre angoisse, son propre déséquilibre psychique?

Il y eut un craquement sur le plancher. Grübbel se retourna. Dieu était là, droit comme un piquet, impassible. Sa figure, ses traits, rien ne laissait deviner ses sentiments. Il l'entendit parler, mais ses lèvres ne bougeaient pas.

— N'avez-vous donc pas compris que nous sommes frères ? Jumeaux ?

Grübbel fronça les sourcils. Il leva une main vers sa tête qui semblait sur le point de se fendre, et il porta son autre main à son oreille où le crépitement devint intolérable. Il en tomba à genoux.

— Je... je ne peux plus continuer ainsi. Vous êtes un être maléfique... vous n'êtes pas Dieu... vous êtes le diable en personne, gémit Grübbel.

Dieu se pencha vers lui.

— Relève-toi, Hans.

Une main lui saisit le bras et l'aida à se relever. Une fois sur pied, il voulut regagner prise sur la réalité.

— Où est l'aubergiste ? Où sont donc tous les clients que j'entendais hier soir ?

Un sourire indéfinissable se dessina sur la bouche de Dieu. C'était peut-être de la bonté, ou de la pitié. Mais le temps d'analyser les êtres était révolu.

— Ils appartiennent au passé, Hans. Ils n'existent qu'à peine. Ils sont peut-être morts, du moins pour une partie d'entre eux.

— Je le savais... murmura Grübbel.

Dieu passa un bras autour de ses épaules, en un geste qu'on aurait pu croire protecteur, et il l'entraîna à l'étage, vers la chambre. Hans se laissa choir au pied du lit en face de l'armoire. Dieu s'était assis sur une chaise, de sorte qu'il l'empêchait de voir son reflet.

— Tu dois trouver de l'aide, tu ne crois pas, Hans ?

Celui-ci haussa les épaules en fixant le sol.

— Il est grand temps de te regarder dans un miroir, plutôt que de fouiller le visage des autres, ajouta Dieu.

Grübbel releva la tête et, sardonique, répliqua :

— Vous êtes devant le miroir, je vous signale. Et puis, de toute façon, chaque fois que je m'observe dans une glace, c'est un autre que je vois, un étranger.

— Vraiment ?

Ce n'était pas une interrogation. Plutôt une boutade.

Grübbel se mit à dévisager Dieu. Peu à peu, il commença à distinguer son reflet dans le miroir, comme si Dieu devenait évanescent, spectral...

— Tu as tout inventé, Hans.

Ce n'était pas Dieu qui avait parlé. C'était son reflet dans le miroir.

— Venez, cher docteur Grübbel, reprenez votre place, dit encore le reflet.

La chaise devant lui était vide. Dieu s'était évanoui comme par enchantement. Hans était seul.

— Car c'est toi l'étranger, docteur...

Et le reflet sortit du miroir, alors que le docteur Grübbel alla y prendre place.

— Va à Vienne. Il y a là-bas un médecin qui peut t'aider. Moi, je retourne dans le monde des chimères d'où je n'aurais jamais dû sortir, dit le docteur dans le miroir.

Hans Grübbel se releva et tourna le dos au docteur Grübbel.

— Mais d'abord, je dois rendre une dernière visite à Salomé.

La main pourpre

La neige tourbillonnait en rafales, elle s'abattait comme une malédiction, masse compacte venue du ciel, une folie blanche et dansante. Il trébuchait sur le sentier, s'enfonçait parfois dans la neige pure sur laquelle il laissait une empreinte de main sanglante. Oh! la main pourpre! L'empreinte de la malédiction! Qui es-tu donc, Hans Grübbel? Pourquoi ces tourbillons de neige accompagnent-ils chacun de tes pas? Pourquoi la folie blanche, la folie pure te poursuit-elle? Ô la main pourpre! Le signe accusateur! Et tout cela, oui, tout cela vient de Lui! On ne peut pas y échapper. Pourquoi ne l'avait-il pas compris dès le début? Pourquoi n'avait-il pas saisi que d'un côté il y a la vie et de l'autre la mort, et qu'il n'y a rien d'ésotérique, absolument rien, à cela? Qu'il ne s'agit pas de mysticisme, mais d'inéluctabilité? Et encore: que l'Amour est Vie et que l'Amour est Mort. Que l'amour est un rêve et qu'il est difficile de savoir si un rêve penche du côté de la vie ou du côté de la mort? Qu'est-ce donc qu'un dormeur? Qu'un homme qui rêve?

Percer le rêve n'est pas percer la vie. À présent, oui, précisément maintenant, y avait-il une vie possible?

Une vie où ne pas trébucher comme dans cette neige si blanche? Comment peut-on trébucher dans la pureté?

Mais la pureté est divine et Dieu n'existe pas. Paradoxe.

Il revenait de chez la baronne, de chez la belle et tendre et cruelle et froide, ô si froide Salomé!

Dans le manoir étrangement désert lui aussi, il s'était avancé jusqu'au salon. Il avait vu la baronne, ô Salomé! Elle était assoupie dans un fauteuil, la photo de son mari sur son sein. Il s'était approché, tremblant d'amour inutile, et lui avait dérobé un baiser dans son sommeil. Puis il avait voulu écarter ce mari gênant, cette photographie de l'aventurier. Et sous la photo, dans le sein de la bien-aimée, ô Salomé! il découvrit alors une grande tache pourpre, et aux pieds de la baronne un revolver argenté. Il ne l'en aima que plus, il la serra tout contre lui, la belle, la cruelle, la froide Salomé!

Et le voilà trébuchant dans la neige et laissant partout sur la pureté tombée du ciel l'empreinte pourpre de la malédiction... D'autres, plus tard, des juges, diront de sa culpabilité.

Enfin, que reste-t-il de sa vie à présent? Un rêve au travers de sa gorge. Et beaucoup de neige tourbillonnante sur laquelle, à tous les quatre ou cinq pas, une empreinte de main pourpre lui rappelle que la pureté de son amour a été à jamais souillée.

Qui était donc Pfeizzer? Longtemps j'ai cru que cette question n'avait point de réponse. Oui, vraiment, qui était-il sinon un petit médecin de campagne accompagné partout de sa fatuité? Longtemps je me suis demandé par quels prodiges il avait pu supplanter mon père dans le cœur de ma mère. Mon père, seulement? Allons, soyons honnête: mon père et moi. Docteur, c'est là une blessure impossible à vous montrer, devrais-je pendant un siècle déchirer ma chemise devant vous et dénuder ma poitrine! Vous ne pourriez y voir le trou béant qui s'y trouve – semblable à celui d'une balle de revolver. Vous ne voyez que la douleur morale. Et pourtant je saigne depuis le jour où j'ai tué ma mère et son amant. Cela vous échappe. Je suis un être torturé qui s'est fait vengeance. Pfeizzer était un reptile, un serpent, une créature visqueuse aux yeux rouges. Il attendait dans l'ombre son heure de gloire et la chance de mettre la main sur un titre et une fortune. On a voulu me spolier. J'ai refusé. J'ai tiré. J'ai tué. Et la mère? Pourquoi avoir tué aussi la mère? Mais il n'y a plus d'amour, docteur. Comment peut-il en rester? L'amour n'est pas un élastique que l'on peut étirer à l'infini. Il se casse. Il cède et il concède. C'était un être arrogant qui croyait pouvoir usurper la place de Dieu. Alors j'ai tué Dieu. Dieu est mort!

Malfaisant. Bête. Immonde. Hautain.

L'amour est mort avec Dieu. Et je veux encore tuer. Et vous docteur: oui, je voudrais vous tuer.

Dieu

La sonnette retentit, indiquant que son patient était arrivé. Le docteur Freud s'arracha difficilement de la lettre qu'il écrivait à son ami Fliess et jeta un coup d'œil à la fenêtre qui donnait sur la cour intérieure : une petite neige fine tombait, mais on devinait que les flocons gras n'allaient pas tarder à suivre. Vienne serait donc toute blanche pour cette nuit du 31 décembre 1899. Freud sourit. Ah! le XXᵉ siècle dans un peu moins de douze heures! Mais d'abord, il fallait recevoir son nouveau patient.

Freud quitta son bureau, traversa le cabinet et pencha la tête du côté de la salle d'attente. Le patient était là, sagement assis, regardant avec curiosité autour de lui. Ce visage ne lui était pas inconnu, bien qu'il n'aurait su dire où il l'avait déjà vu. Freud s'avança et présenta sa main :

— Bonjour, monsieur... ?

— Dieu.

— Dieu ?

— Dieu !

Freud hocha la tête avec bienveillance et dit :

— L'avenir nous le dira!

FICTION
extrait du catalogue des Éditions Triptyque

Allaire, Camille. *Celle qui manque* (nouvelles), 2010
Allard, Francine. *Les mains si blanches de Pye Chang* (roman), 2000
Arbour, Marie-Christine. *Drag* (roman), 2011
Arbour, M.-C. *Utop* (roman), 2012
Arbour, M.-C. *Chinetoque* (roman), 2013
Arsenault, Mathieu. *Album de finissants* (récit), 2004
Arsenault, M. *Vu d'ici* (roman), 2008
Beaudoin, Myriam. *Un petit bruit sec* (roman), 2003
Beaudry, Jean. *L'amer Atlantique* (roman épistolaire), 2011
Beausoleil, J.-M. *Le souffle du dragon* (nouvelles), 2009
Beausoleil, J.-M. *Utopie taxi* (roman), 2010
Beausoleil, J.-M. *Blanc Bonsoir* (roman), 2011
Beausoleil, J.-M. *Monsieur Électrique* (roman), 2012
Beausoleil, J.-M. *Joie de combat* (roman), 2013
Benoit, Mylène. *Les jours qui penchent* (roman), 2011
Bensimon, Philippe. *Tableaux maudits* (roman), 2007
Bensimon, P. *La Citadelle* (récit), 2008
Berg, R.-J. *D'en haut* (proses), 2002
Bessens, Véronique. *Contes du temps qui passe* (nouvelles), 2007
Bioteau, Jean-Marie. *La vie immobile* (roman), 2003
Blot, Maggie. *Plagiste. Dormir ou esquisser* (récit), 2007
Blouin, Lise. *L'or des fous* (roman), 2004
Boissé, Hélène. *Tirer la langue à sa mère* (récits), 2000
Bouchard, Camille. *Les petits soldats* (roman), 2002
Boulanger, Patrick. *Les restes de Muriel* (roman), 2007
Boulanger, P. *Selon Mathieu* (roman), 2009
Bunkoczy, Joseph. *Ville de chien* (roman), 2007
Bush, Catherine. *Les règles d'engagement* (roman), 2006
Butler, Juan. *Journal de Cabbagetown* (roman), 2003
Caccia, Fulvio. *La ligne gothique* (roman), 2004
Caccia, F. *La coïncidence* (roman), 2005
Caccia, F. *Le secret* (roman), 2006
Caccia, F. *La frontière tatouée* (roman), 2008
Caron, Danielle. *Le couteau de Louis* (roman), 2003
Chabin, Laurent. *Écran total* (roman), 2006
Chabin, L. *Corps perdu* (roman), 2008
Chabot, François. *La mort d'un chef* (roman), 2004

Clément, Michel-E. *Sainte-Fumée* (roman), 2001
Cloutier, Annie. *Ce qui s'endigue* (roman), 2009
Cloutier, A. *La chute du mur* (roman), 2010
Cloutier, A. *Une belle famille* (roman), 2012
Côté, Johanne Alice. *Mégot mégot petite mitaine* (nouvelles), 2008
Daigneault, Nicolas. *Les inutilités comparatives* (nouvelles), 2002
Dé, Claire. *Hôtel Septième-ciel* (nouvelles), 2011
Demers, Olivier. *L'hostilité des chiens* (roman), 2012
Déry, Maude. *Sur le fil* (nouvelles), 2013
Désalliers, François. *Un monde de papier* (roman), 2007
Desfossés, Jacques. *Magma* (roman), 2000
Des Rosiers, Joël. *Un autre soleil* (nouvelle), 2007
Diamond, Lynn. *Le corps de mon frère* (roman), 2002
Diamond, L. *Leslie Muller ou le principe d'incertitude* (roman), 2011
Doucet, Patrick. *Foucault et les extraterrestres* (roman), 2010
Dugué, Claudine. *Poisons en fleurs* (nouvelles), 2009
Duhaime, Gérard. *Torngak* (roman), 2014
Fortin, Julien. *Chien levé en beau fusil* (nouvelles), 2002
Francœur, Louis et Marie. *Plus fort que la mort* (récit-témoignage), 2000
Gagnon, Alain. *Lélie ou la vie horizontale* (roman), 2003
Gagnon, A. *Jakob, fils de Jakob* (roman), 2004
Gagnon, A. *Le truc de l'oncle Henry* (polar), 2006
Gagnon, A. *Les Dames de l'Estuaire* (novellas), 2013
Gagnon, Daniel. *Loulou* (roman), 2002 (1976)
Gagnon, Marie-Noëlle. *L'hiver retrouvé* (roman), 2009
Gervais, Bertrand. *Ce n'est écrit nulle part* (récits), 2001
Giguère, Diane. *La petite fleur de l'Himalaya* (roman), 2007
Gobeil, Pierre. *La cloche de verre* (récits), 2005
Gobeil, P. *Le jardin de Peter Pan* (roman), 2009
Jacob, Diane. *Le vertige de David* (roman), 2006
Julien, Jacques. *Big Bear, la révolte* (roman), 2004
La Chance, Michaël. *De Kooning malgré lui* (roman), 2011
Laferrière, Alexandre. *Début et fin d'un espresso* (roman), 2002
Laferrière, A. *Pour une croûte* (roman), 2005
Lamartine, Thérèse. *Le silence des femmes* (roman), 2014
Lamontagne, Patricia. *Somnolences* (roman), 2001
Landry, Denise. *Ma mère est une porte* (roman), 2011
Landry, François. *Le nombril des aveugles* (roman), 2001
Langlois, Fannie. *Une princesse sur l'autoroute* (roman), 2010
LaRochelle, Luc. *Amours et autres détours* (récits), 2002
LaRochelle, L. *Hors du bleu* (nouvelles), 2009

La Rochelle, Réal. *Lenny Bernstein au parc La Fontaine* (récit), 2010
Lavallée, Dominique. *Étonnez-moi, mais pas trop!* (nouvelles), 2004
Lavallée, François. *Le tout est de ne pas le dire* (nouvelles), 2001
Laverdure, Bertrand. *Gomme de xanthane* (roman), 2006
Leblanc, François. *Quinze secondes de célébrité* (roman), 2009
Leblanc, F. *Quelques jours à vivre* (roman), 2012
Leblanc, F. *Zagreb* (roman), 2013
Lebœuf, Gaétan. *Bébé... et bien d'autres qui s'évadent* (roman), 2007
Ledoux, Lucie. *Un roman grec* (roman), 2010
Leduc-Leblanc, Jérémie. *La légende des anonymes* (nouvelles), 2011
Leduc-Leblanc, J. *La désolation* (nouvelles), 2013
Lefebvre, Marie. *Les faux départs* (roman), 2008
Lejeune, Maxime. *Le traversier* (roman), 2010
Le Maner, M. *Ma chère Margot,* (roman), 2001
Le Maner, M. *La dérive de l'Éponge* (roman), 2004
Le Maner, M. *Maman goélande* (roman), 2006
Le Maner, M. *La dernière enquête* (polar), 2008
Le Maner, M. *Roman 41* (roman), 2009
Le Maner, M. *Un taxi pour Sherbrooke* (conte), 2013
Lemay, Grégory. *Le sourire des animaux* (roman), 2003
Lepage, François. *Les abeilles* (roman), 2013
Lepage, Sophie. *Lèche-vitrine* (roman), 2005
Lépine, Hélène. *Le vent déporte les enfants austères* (récit), 2006
Locas, Janis. *La maudite Québécoise* (roman), 2010
Manseau, Pierre. *Les bruits de la terre* (récits), 2000
Manseau, P. *J'aurais voulu être beau* (récits), 2001
Manseau, P. *Ragueneau le Sauvage* (roman), 2007
Manseau, P. *Les amis d'enfance* (roman), 2008
Marquis, André. *Les noces de feu* (roman), 2008
Martel, Jean-Pierre. *La trop belle mort* (roman), 2000
McComber, Éric. *Antarctique* (roman), 2002
McComber, É. *La mort au corps* (roman), 2005
Ménard, Marc. *Itinérances* (roman), 2001
Michaud, Nando. *Le hasard défait bien les choses* (polar), 2000
Michaud, N. *Un pied dans l'hécatombe* (polar), 2001
Michaud, N. *Virages dangereux et autres mauvais tournants* (nouvelles), 2003
Michaud, N. *La guerre des sexes ou Le problème est dans la solution* (polar), 2006
Moreau, François. *La bohème* (roman), 2009
Nicol, Patrick. *La blonde de Patrick Nicol* (roman), 2005
Ory, Marc. *Zanipolo* (roman), 2010
Ory, M. *La concession* (roman), 2011

OuldAbderrahmane, Mazouz. *Le Café Maure* (roman), 2013

Paquette, André. *Première expédition chez les sauvages* (roman), 2000

Paquette, A. *Parcours d'un combattant* (roman), 2002

Patenaude, Monique. *Made in Auroville, India* (roman), 2004

Pawlowicz, Julia. *Retour d'outre-mer* (roman), 2013

Pépin, Pierre-Yves. *Ticket pour l'éternité* (nouvelles), 2013

Piuze, Simone. *Blue Tango* (roman), 2011

Poitras, Marie Hélène. *Soudain le Minotaure* (roman) 2002

Poitras, M. H. *La mort de Mignonne et autres histoires* (nouvelles), 2005

Renaud, France. *Contes de sable et de pierres* (récits), 2003

Ricard, André. *Une paix d'usage. Chronique du temps immobile* (récit), 2006

Robitaille, Geneviève. *Mes jours sont vos heures* (récit), 2001

Rompré-Deschênes, Sandra. *La maison mémoire* (roman), 2007

Rousseau, Jacques. *R.O.M. Read Only Memory* (polar), 2010

Schweitzer, Ludovic. *Vocations* (roman), 2003

Sévigny, Marie-Ève. *Intimité et autres objets fragiles* (nouvelles), 2012

Shields, Carol. *Miracles en série* (nouvelles, trad. de Benoit Léger), 2004

Soudeyns, Maurice. *Visuel en 20 tableaux* (proses), 2003

St-Onge, Daniel. *Le gri-gri* (roman), 2001

St-Onge, D. *Bayou Mystère* (roman), 2007

Strano, Carmen. *Les jours de lumière* (roman), 2001

Strano, C. *Le cavalier bleu* (roman), 2006

Théberge, Gaston. *Béatrice, Québec 1918* (roman), 2007

To, My Lan. *Cahier d'été* (récit), 2000

Turgeon, Paule. *Au coin de Guy et René-Lévesque* (polar), 2003

Vaillancourt, Claude. *Les onze fils* (roman), 2000

Vaillancourt, C. *Réversibilité* (roman), 2005

Vaillancourt, Marc. *Un travelo nommé Daisy* (roman), 2004

Vaillancourt, M. *La cour des contes* (récits), 2006

Vaillancourt, Yves. *Winter et autres récits* (récits), 2000

Vaïs, Marc. *Pour tourner la page* (nouvelles), 2005

Varèze, Dorothée. *Chemins sans carrosses* (récits), 2000

Villeneuve, Marie-Paule. *Derniers quarts de travail* (nouvelles), 2004

Villeneuve, M.-P. *Salut mon oncle !* (roman), 2012

Vincent, Diane. *Épidermes* (polar), 2007

Vincent, D. *Peaux de chagrins* (polar), 2009

Vincent, D. *Pwazon* (polar), 2011

Vivier, Mario. *Dieu et le docteur Grübbel* (roman), 2014

Vollick, L.E. *Les originaux* (roman), 2005

Wolf, Marc-Alain. *Kippour* (roman), 2006

Wolf, M.-A. *Sauver le monde* (roman), 2009

Wolf, M.-A. *Un garçon maladroit* (roman), 2012